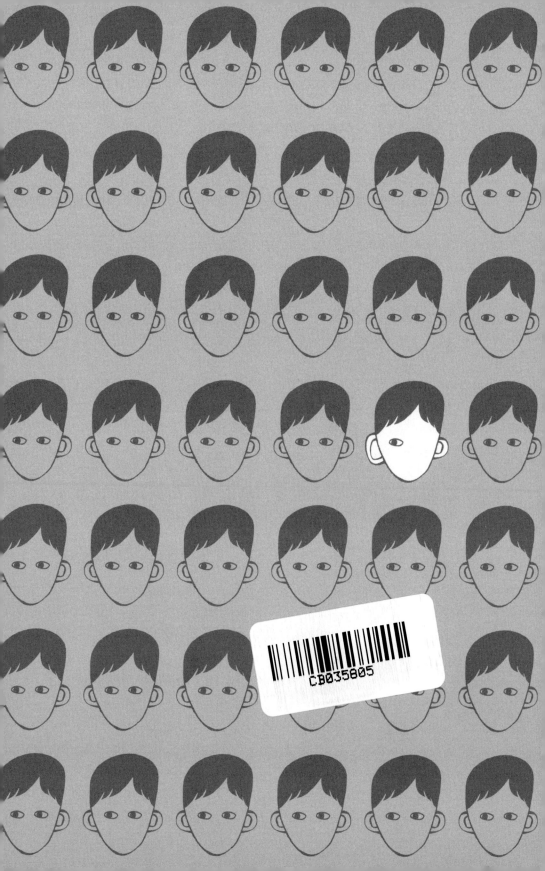

EXTRAORDINÁRIO

R. J. Palacio

Tradução de Rachel Agavino

Copyright © 2012 by R. J. Palacio
Todos os direitos reservados.

TÍTULO ORIGINAL
Wonder

REVISÃO
Luiz Roberto Jannarelli
Carolina Rodrigues

DIAGRAMAÇÃO
Ilustrarte Design e Produção Editorial

ADAPTAÇÃO DE CAPA
ô de casa

ILUSTRAÇÕES DE CAPA E MIOLO
Tad Carpenter

CIP-BRASIL. CATALOGAÇÃO-NA-FONTE
SINDICATO NACIONAL DOS EDITORES DE LIVROS, RJ

P176e

Palacio, R. J.
      Extraordinário / R.J. Palacio ; tradução de Rachel Agavino. –
Rio de Janeiro : Intrínseca, 2013.
      320 p. : 23 cm

      Tradução de: Wonder
      ISBN 978-85-8057-301-5
      ISBN 978-85-510-0134-9 (capa filme)

      1. Ficção americana. I. Agavino, Rachel. II. Título.

12-9258.   CDD: 813
                                      CDU: 821.111(73)-3

[2017]

Todos os direitos desta edição reservados à

EDITORA INTRÍNSECA LTDA,
Av. das Américas, 500, bloco 12, sala 303
22640-904 – Barra da Tijuca
Rio de Janeiro — RJ
Tel./Fax: (21) 3206-7400
www.intrinseca.com.br .

Para Russell, Caleb e Joseph

Para Russell, Caleb e Joseph

*Médicos vieram de cidades distantes
só para me ver,
parados ao lado da minha cama
sem acreditar.*

*Dizem que só posso ser uma das maravilhas
da Criação,
e até onde veem não conseguem
explicar.*

— Natalie Merchant, "Wonder"

Parte um

August

A fatalidade sorriu e o destino
gargalhou quando ela se debruçou no meu berço...
— Natalie Merchant, "Wonder"

Comum

Sei que não sou um garoto de dez anos comum. Quer dizer, é claro que faço coisas comuns. Tomo sorvete. Ando de bicicleta. Jogo bola. Tenho um Xbox. Essas coisas me fazem ser comum. Por dentro. Mas sei que as crianças comuns não fazem outras crianças comuns saírem correndo e gritando do parquinho. Sei que os outros não ficam encarando as crianças comuns aonde quer que elas vão.

Se eu encontrasse uma lâmpada mágica e pudesse fazer um desejo, pediria para ter um rosto comum, em que ninguém nunca prestasse atenção. Pediria para poder andar na rua sem que as pessoas me vissem e depois fingissem olhar para o outro lado. Sabe o que eu acho? A única razão de eu não ser comum é que ninguém além de mim me enxerga dessa forma.

Mas agora meio que já me acostumei com minha aparência. Sei fingir que não vejo as caretas que as pessoas fazem. Nós todos ficamos muito bons nisso: eu, mamãe e papai, a Via. Na verdade, retiro o que disse: a Via não é tão boa. Às vezes ela fica muito irritada quando fazem algo grosseiro. Por exemplo, naquela vez no parquinho, quando uns garotos mais velhos fizeram alguns barulhos. Nem sei que barulhos eram, porque eu mesmo não ouvi, mas a Via escutou e simplesmente começou a gritar com eles. Esse é o jeito dela. Eu não sou assim.

Ela não acha que eu seja comum. Diz que acha, mas, se eu fosse comum, ela não precisaria me proteger tanto. Mamãe e papai também não me acham comum. Eles me acham extraordinário. Talvez a única pessoa no mundo que percebe o quanto sou comum seja eu.

Aliás, meu nome é August. Não vou descrever minha aparência. Não importa o que você esteja pensando, porque provavelmente é pior.

Por que eu não ia à escola

Na semana que vem vou começar o quinto ano. Como nunca estudei em um colégio de verdade, meio que estou total e completamente apavorado. As pessoas acham que nunca fui à escola por causa da minha aparência, mas não foi isso. Foi por causa de todas as vezes que fui operado. Vinte e sete, desde que nasci. As mais importantes aconteceram antes de eu ter quatro anos, por isso não lembro. Mas desde então passei por duas ou três cirurgias a cada ano (algumas grandes, outras menores), e, como sou pequeno para a minha idade e tenho outros problemas misteriosos que os médicos nunca conseguiram entender, eu ficava doente o tempo todo. Foi por isso que meus pais decidiram que seria melhor eu não ir para a escola. Mas estou bem mais forte agora. Minha última cirurgia foi oito meses atrás e provavelmente não precisarei de outra pelos próximos anos.

A mamãe me dá aulas em casa. Ela era ilustradora de livros infantis e desenha fadas e sereias lindas. Uma vez tentou desenhar um Darth Vader para mim, mas ficou parecendo um robô estranho com formato de cogumelo. Há muito tempo não a vejo desenhar nada. Acho que está ocupada demais cuidando de mim e da Via.

Não posso dizer que eu sempre quis ir à escola porque não seria exatamente verdade. Eu queria ir, mas só se pudesse ser como todas as outras crianças. Ter muitos amigos, sair depois da aula, coisas desse tipo.

Tenho alguns amigos de verdade agora. O Christopher é meu melhor amigo, e depois vêm o Zachary e o Alex. A gente se conhece desde bebês. E, como eles já me conheceram como sou, estão acostumados. Quando a gente era pequeno, brincava junto o tempo todo, mas depois o Christopher se mudou para Bridgeport, em Connecticut. Fica a mais de uma hora de onde eu moro, em North River Heights, na ponta de cima de Manhattan. E o Zachary e o Alex começaram a ir à escola. É estranho: embora o Christopher tenha se mudado para longe, ainda o vejo mais do que vejo o Zachary e o Alex. Eles têm um monte de amigos novos agora. Mas quando nos esbarramos na rua eles ainda são legais comigo e sempre dizem oi.

Tenho outros amigos também, mas não tão legais quanto o Christopher, o Zach e o Alex. Por exemplo, o Zach e o Alex sempre me convidavam para as festas de aniversário deles quando a gente era pequeno, mas o Joel, o Eamonn e o Gabe nunca fizeram isso. A Emma me convidou uma vez, mas não a vejo há muito tempo. E, é claro, sempre vou nas festas do Christopher. Talvez eu esteja exagerando com esse negócio de festas de aniversário.

Como eu nasci

Gosto quando a mamãe conta essa história porque ela me faz rir muito. Não é engraçada como uma piada, mas, quando a mamãe conta, a Via e eu simplesmente caímos na gargalhada.

Então, quando eu estava na barriga da minha mãe, ninguém fazia a menor ideia de que eu seria desse jeito. A Via tinha nascido quatro anos antes e tudo tinha sido tão "mamão com açúcar" (como a mamãe diz) que não havia razão para fazer exames especiais. Uns dois meses antes de eu nascer, os médicos perceberam que havia algo errado com meu rosto, mas não acharam que fosse muito ruim. Disseram para os meus pais que eu tinha lábio leporino e algumas outras coisas. Chamaram de "pequenas anomalias".

Duas enfermeiras estavam na sala de parto na noite em que nasci. Uma era muito doce e boazinha. A outra, segundo a mamãe, não parecia ser nem um pouco assim. Tinha braços muito grandes (aqui começa a parte engraçada) e ficava soltando puns. Tipo, ela dava cubos de gelo para a minha mãe e soltava um pum. Media a pressão e soltava outro pum. A mamãe diz que era inacreditável, porque a enfermeira nem ficava sem graça! Além disso, o obstetra dela não estava de plantão naquela noite, então ela acabou nas mãos de um residente mal-humorado que ela e o papai apelidaram de Doogie, por causa de um velho programa de TV ou algo do tipo (não chamavam o médico assim na frente dele). Mas a mamãe diz que, embora todo mundo na sala estivesse meio irritado, papai a fez rir a noite toda.

Quando saí da barriga da minha mãe, ela disse que todo mundo no quarto ficou muito quieto. Ela nem conseguiu me ver, porque a enfermeira boazinha saiu correndo comigo. O papai foi atrás com tanta pressa que deixou cair a filmadora, que ficou em pedacinhos. Então a mamãe ficou muito chateada e tentou levantar para ver aonde eles tinham ido, mas a enfermeira que soltava pum a segurou na cama com seus braços grandões.

As duas estavam quase brigando, porque minha mãe estava histérica e a enfermeira que soltava pum não parava de gritar para ela ficar calma, e então as duas começaram a gritar chamando o médico. Mas, adivinhe só? Ele tinha desmaiado! Estava caído no chão! Quando a enfermeira do pum o viu desmaiado, começou a cutucá-lo com o pé, tentando acordá-lo, sem parar de gritar: "Que tipo de médico você é? Que tipo de médico você é? Acorde! Acorde!"

Aí, de repente, ela soltou o maior, mais barulhento e mais fedorento pum da história dos puns. A mamãe acha que, na verdade, foi o pum que acordou o médico. Quando ela conta essa história, representa todos os papéis — faz até os barulhos dos puns — e é tão, tão, *tão* engraçado!

Minha mãe diz que a enfermeira que soltava pum era, na verdade, uma moça muito legal. Ficou com ela o tempo todo. Não saiu do seu lado nem depois que o papai voltou e os médicos contaram para eles da gravidade da minha doença. Mamãe se lembra perfeitamente das palavras que a enfermeira sussurrou em seu ouvido quando o médico disse que era provável que eu não sobrevivesse àquela noite.

"Todo o que é nascido de Deus vence o mundo."

No dia seguinte, depois que eu tinha sobrevivido àquela noite, foi a mesma enfermeira que segurou a mão da minha mãe quando a levaram para me ver pela primeira vez.

A mamãe fala que, àquela altura, haviam lhe falado tudo sobre mim. Ela já tinha se preparado para me ver. Mas diz que, quando olhou para o meu rosto minúsculo e deformado pela primeira vez, só o que notou foi como meus olhos eram bonitos.

Aliás, a mamãe é linda. O papai é bonito também. A Via é bem bonita. Caso você esteja se perguntando.

A casa do Christopher

Fiquei muito chateado quando o Christopher se mudou, três anos atrás. A gente tinha uns sete anos na época e passava horas brincando com nossos bonecos de *Star Wars* e lutando com os sabres de luz. Sinto falta disso.

Na primavera passada fomos até a casa dele em Bridgeport. Nós estávamos procurando biscoitos na cozinha quando ouvi a mamãe conversando com a Lisa, a mãe do Christopher, sobre eu começar a ir à escola em setembro. Eu nunca, nunca a tinha ouvido falar de escola antes.

— Do que está falando? — perguntei.

Ela pareceu surpresa, como se não fosse para eu ter escutado aquilo.

— Você deveria contar para ele no que está pensando, Isabel — sugeriu o papai, que estava do outro lado da sala, conversando com o pai do Christopher.

— É melhor falarmos sobre isso depois — disse a mamãe.

— Não. Eu quero saber do que você estava falando — retruquei.

— Você não acha que está pronto para ir à escola, Auggie? — perguntou a mamãe.

— Não — respondi.

— Eu também não — concordou o papai.

— Então é isso. Assunto encerrado — concluí, dando de ombros, e sentei no colo dela, como se fosse um bebê.

— Só acho que você precisa aprender mais do que eu posso ensinar — justificou-se a mamãe. — Quer dizer... Ah, Auggie, você sabe como sou péssima com frações!

— Que escola? — perguntei, já com vontade de chorar.

— Beecher Prep. Bem do lado de casa.

— Uau! É uma ótima escola, Auggie — disse a Lisa, dando um tapinha no meu joelho.

— Por que não a escola da Via? — eu quis saber.

— É grande demais — explicou a mamãe. — Acho que não seria o melhor para você.

— Não quero ir — falei.

Admito: eu fiz uma voz igual à de um bebezinho.

— Você não tem que fazer nada que não queira — disse o papai, chegando perto e me tirando da mamãe. Ele sentou no outro lado do sofá, comigo no colo. — Não vamos obrigá-lo a fazer nada que não queira.

— Mas seria bom para ele, Nate — insistiu a mamãe.

— Não se ele não quiser ir — rebateu o papai, olhando para mim. — Não se ele não estiver preparado.

Vi a mamãe olhar para a Lisa, que esticou o braço e apertou a mão dela.

— Vocês vão dar um jeito — disse ela para a mamãe. — Sempre deram.

— Vamos conversar sobre isso depois, certo? — falou a mamãe.

Dava para ver que ela e o papai iam brigar por causa daquilo. Eu queria que ele ganhasse a briga, mas parte de mim sabia que a mamãe estava certa. E a verdade é que ela era mesmo péssima em frações.

Voltando para casa

Foi uma longa viagem de volta para casa. Dormi no banco traseiro como sempre faço, com a cabeça no colo da Via como se fosse um travesseiro e uma toalha enrolada no cinto de segurança para eu não babar minha irmã toda. A Via dormiu também, e a mamãe e o papai ficaram conversando baixinho sobre coisas de adulto que não me interessavam.

Não sei por quanto tempo eu dormi, mas quando acordei vi a lua cheia pela janela do carro. A noite estava clara, e seguíamos por uma autoestrada lotada. Então ouvi a mamãe e o papai falando de mim.

— Não podemos continuar a protegê-lo — sussurrou ela para o papai, que estava dirigindo. — Não podemos fingir que ele vai acordar amanhã e esta não será mais a realidade dele, Nate, porque *vai ser*. E precisamos ajudá-lo a lidar com isso. Não podemos continuar evitando situações que...

— Então vamos mandá-lo para a escola como um cordeiro indo para o abate... — rebateu o papai, zangado, mas sem terminar a frase porque me viu olhando pelo retrovisor.

— O que é um cordeiro indo para o abate? — perguntei, sonolento.

— Volte a dormir, Auggie — disse o papai, baixinho.

— Todo mundo vai ficar olhando para mim na escola — falei, começando a chorar.

— Querido — disse a mamãe. Ela se virou para trás no banco do carona e segurou minha mão. — Você sabe que, se não quiser, não tem que fazer isso. Mas conversamos com o diretor da escola sobre você e ele quer muito conhecê-lo.

— O que vocês disseram sobre mim?

— Falamos de como você é divertido, gentil e inteligente. Quando contei que você leu O *cavaleiro do dragão* aos seis anos, ele disse: "Uau! Tenho que conhecer esse garoto."

— Você disse mais alguma coisa? — perguntei.

Mamãe sorriu e seu sorriso foi como um abraço.

— Falei de todas as suas cirurgias e de como você é corajoso.

— Então ele sabe como eu sou?

— Bem, levamos fotos do último verão em Montauk — disse o papai. — Mostramos fotos de toda a família. E aquela ótima, que tiramos de você segurando aquele linguado no barco!

— Você foi à escola também?

Devo confessar que fiquei um pouco desapontado por saber que ele tinha feito parte daquilo.

— Sim. Nós dois conversamos com ele — falou o papai. — É um homem muito bom.

— Você ia gostar dele — acrescentou a mamãe.

De repente senti que eles estavam do mesmo lado.

— Esperem. Quando vocês se encontraram com ele?

— Ele nos levou em um passeio pela escola no ano passado — respondeu a mamãe.

— *Ano passado?* — perguntei. — Então faz um ano inteiro que vocês vêm pensando nisso e não me disseram nada?

— Nem sabíamos se você seria aceito, Auggie — falou ela. — É difícil entrar nessa escola. Há um longo processo de admissão. Não vi sentido em lhe contar e deixá-lo todo animado sem necessidade.

— Mas você está certo, Auggie. Devíamos ter lhe contado no mês passado, quando soubemos que você foi aprovado — disse o papai.

— Pensando bem — completou ela com um suspiro —, é, devíamos.

— Aquela moça que foi lá em casa naquela vez tinha alguma coisa a ver com isso? — perguntei. — Aquela que me passou um teste?

— Na verdade, tinha — confessou a mamãe, parecendo culpada.

— Você disse que era um teste de QI.

— Eu sei, mas, bom, aquela foi uma mentirinha do bem — respondeu ela. — Era um teste que precisava fazer para entrar na escola. Aliás, você se saiu muito bem.

— Então você mentiu — falei.

— Uma mentira do bem, mas menti. Desculpe — repetiu a mamãe.

Ela tentou sorrir, mas como não sorri de volta ela se virou e olhou para a frente.

— O que é um cordeiro indo para o abate? — perguntei de novo.

Mamãe suspirou e lançou o *olhar* para o papai.

— Eu não devia ter dito isso — falou ele, olhando para mim pelo retrovisor. — Não é verdade. A questão é: mamãe e eu amamos tanto você que queremos protegê-lo de todas as formas que pudermos. Só que às vezes queremos fazer isso de jeitos diferentes.

— Não quero ir para a escola — declarei, cruzando os braços.

— Seria bom para você, Auggie — disse a mamãe.

— Talvez no ano que vem — sugeri, olhando pela janela.

— Este ano seria melhor, filho — insistiu ela. — Sabe por quê? Porque você vai entrar para o quinto ano, e muitas crianças vão ter mudado de escola. Vai ser diferente para todo mundo. Você não seria o único aluno novo.

— Vou ser o único aluno que é como eu sou — rebati.

— Não estou dizendo que não vá ser um grande desafio, porque você sabe que isso não é verdade. Mas vai ser bom, Auggie. Você vai fazer muitos amigos. E vai aprender coisas que eu jamais conseguiria lhe ensinar. — Ela se virou para trás de novo e olhou para mim. — Quando fizemos o passeio, sabe o que vimos no laboratório de ciências? Um pintinho saindo do ovo. Foi tão fofo! Auggie, ele me fez lembrar um pouco de você quando era bebê... com esses seus grandes olhos castanhos...

Em geral, adoro que eles falem sobre quando eu era bebê. Às vezes tenho vontade de me encolher todinho e deixar que me abracem e me beijem inteiro. Sinto saudades de ser um bebê e de não saber das coisas. Mas eu não estava a fim disso naquela hora.

— Não quero ir — falei.

— E se você pelo menos se encontrasse com o Sr. Buzanfa antes de decidir? — sugeriu a mamãe.

— Sr. Buzanfa? — perguntei.

— É o diretor — explicou ela.

— Sr. *Buzanfa*? — repeti.

— Eu sei! — disse o papai, sorrindo e olhando para mim pelo retrovisor. — Você acredita nesse nome, Auggie? Quer dizer, quem nesse mundo iria concordar em ter um nome como Sr. Buzanfa?

Sorri, mesmo não querendo que eles vissem. O papai era a única pessoa no mundo capaz de me fazer rir até quando eu não queria. Ele sempre fazia todo mundo rir.

— Sabe, Auggie, você deveria ir para essa escola só para ouvir o nome dele pelo alto-falante! — continuou ele, animado. — Já pensou como seria engraçado? Alô, alô? Chamando o Sr. Buzanfa! — Ele começou a imitar a voz de uma velhinha. — Olá, Sr. Buzanfa! Bateram na *traseira* do seu carro de novo? Quem foi o *bundão* que fez isso? O senhor não pode fazer *nádegas?*

Comecei a rir não porque fosse tão engraçado assim, mas porque não estava mais com disposição para ficar zangado.

— Mas poderia ser pior! — continuou o papai, voltando a falar com sua voz normal. — Sua mãe e eu tivemos uma professora na faculdade que se chamava Srta. Bum.

Agora a mamãe também estava rindo.

— É sério? — perguntei.

— Roberta Bum — disse a mamãe, levantando a mão, como quem faz um juramento. — Bobbie Bum.

— A Srta. Bum tinha duas bandas — brincou o papai.

— Nate!

— O que foi? Só estou dizendo que ela tocava em duas bandas de música!

Mamãe riu e balançou a cabeça.

— Ah, já sei! — falou o papai, muito animado. — Vamos arranjar um encontro entre eles! Já pensou? Srta. Bum, este é o Sr. Buzanfa. Sr. Buzanfa, esta é a Srta. Bum. Eles poderiam se casar e ter um monte de Bunzinhos.

— Coitado do Sr. Buzanfa — comentou a mamãe. — Auggie ainda nem o conheceu, Nate!

— Quem é Sr. Buzanfa? — perguntou a Via, um pouco grogue depois de acordar.

— É o diretor da minha escola — respondi.

Chamando o Sr. Buzanfa

Eu teria ficado bem mais nervoso em relação a encontrar o Sr. Buzanfa se soubesse que também iria conhecer algumas crianças da escola. Mas eu não sabia, então estava meio contente. Não conseguia parar de pensar em todas as piadas que o papai tinha feito com o nome do homem. Quando a mamãe e eu chegamos à Beecher Prep, algumas semanas antes do início das aulas, e vi o Sr. Buzanfa nos esperando de pé no portão, comecei a rir imediatamente. Mas ele não tinha nada a ver com o que eu imaginara. Achei que teria um bumbum enorme, mas não. Na verdade, era um cara bem normal. Alto e magro. Velho, mas não muito. Parecia legal. Apertou primeiro a mão da minha mãe.

— Oi, Sr. Buzanfa, que bom vê-lo outra vez — disse a mamãe. — Este é meu filho, August.

Ele olhou bem para mim, sorriu e assentiu. Estendeu a mão para que eu a apertasse.

— Oi, August — falou em um tom completamente normal. — É um prazer conhecer você.

— Oi — murmurei, dando um aperto de mão fraco enquanto olhava para os pés dele, que estava de tênis Adidas vermelho.

— Então — disse o Sr. Buzanfa, ajoelhando-se na minha frente, de modo que eu pudesse olhar para ele, e não para seus tênis. — Seus pais falaram muito sobre você.

— O que eles disseram? — perguntei.

— Desculpe, o quê?

— Querido, você tem que falar mais alto — disse a mamãe.

— Tipo o quê? — falei, tentando não resmungar.

Reconheço que tenho o péssimo hábito de fazer isso.

— Bem, que você gosta de ler — respondeu o Sr. Buzanfa — e que é um ótimo artista. — Ele tinha olhos azuis e cílios brancos. — E que gosta de ciências, certo?

— É. — Fiz que sim.

— Tem algumas matérias eletivas de ciências ótimas aqui na Beecher — informou ele. — Quem sabe você não pode fazer uma delas?

— É — respondi, mesmo sem saber o que era uma matéria eletiva.

— Então, pronto para um passeio pela escola?

— Quer dizer que vamos fazer isso agora? — perguntei.

— Você achou que íamos ao cinema? — disse ele, sorrindo enquanto se levantava.

— Você não me contou que faríamos um passeio — reclamei para a mamãe.

— Auggie... — começou ela.

— Vai ser legal, August — falou o Sr. Buzanfa, estendendo a mão para mim. — Eu prometo.

Acho que ele queria que eu segurasse sua mão, mas em vez disso peguei a da mamãe. O Sr. Buzanfa sorriu e começou a andar em direção ao portão.

A mamãe apertou minha mão de leve, mas não sei se aquilo significava "eu amo você" ou "desculpe". Provavelmente era um pouco de cada.

A única escola na qual eu já tinha entrado era a da Via, quando ia com a mamãe e o papai ver as apresentações da minha irmã nos concertos de primavera e coisas assim. A Beecher era muito diferente. Era menor. Tinha cheiro de hospital.

A gentil Sra. Garcia

Seguimos o Sr. Buzanfa por alguns corredores. Não tinha muita gente, e os poucos que estavam por lá nem pareceram me notar, mas talvez não tenham me visto mesmo. Eu estava meio escondido atrás da mamãe. Sei que isso parece um tanto infantil da minha parte, mas eu não estava me sentindo muito corajoso naquele momento.

Chegamos a uma sala pequena com a palavra GABINETE na porta. Lá dentro havia uma senhora, que parecia legal, sentada atrás de uma mesa.

— Esta é a Sra. Garcia — disse o Sr. Buzanfa.

A senhora sorriu para a mamãe, tirou os óculos e se levantou. Minha mãe apertou a mão dela e disse:

— Isabel Pullman. É um prazer conhecê-la.

— E este é o August — falou o Sr. Buzanfa.

Mamãe chegou um pouquinho para o lado e eu dei um passo à frente. Então aconteceu o que eu já tinha visto um milhão de vezes. Quando levantei o rosto, os olhos da Sra. Garcia se desviaram por um segundo. Foi tão rápido que ninguém mais notou, porque o restante da expressão dela continuou exatamente igual. Ela abriu um sorriso muito animado.

— Muito prazer em conhecê-lo, August — falou, estendendo a mão para me cumprimentar.

— Oi — respondi baixinho, apertando a mão dela.

Não queria olhá-la no rosto, por isso continuei concentrado em seus óculos, que estavam presos a uma corrente pendurada no pescoço.

— Uau! Que aperto de mão forte! — disse a Sra. Garcia, que tinha a mão bem quentinha.

— O aperto de mão dele é matador — concordou o Sr. Buzanfa, e todos riram, mas eu não entendi por quê.

— Você pode me chamar de Sra. G. — disse a Sra. Garcia. Acho que falava comigo, mas eu estava olhando todas as coisas que havia em sua mesa. — É assim que todo mundo me chama. "Sra. G., esqueci a combinação do armário." "Sra. G., vou precisar chegar atrasado." "Sra. G., quero trocar minha eletiva."

— Na verdade, é a Sra. G. quem manda na escola — falou o Sr. Buzanfa, mais uma vez fazendo todos os adultos rirem.

— Chego todos os dias às sete e meia — disse a Sra. Garcia, ainda olhando para mim enquanto eu mantinha os olhos fixos nas suas sandálias marrons com florzinhas roxas nas fivelas. — Então, se você precisar de qualquer coisa, August, é só falar comigo. E pode me perguntar qualquer coisa mesmo.

— Tudo bem — resmunguei.

— Ah, que bebê fofo — disse a mamãe, apontando para uma das fotos no quadro de avisos da Sra. Garcia. — É seu?

— Não, meu Deus! — respondeu a mulher, abrindo um sorriso completamente diferente do sorriso animado. — Ganhei o dia com essa! É meu neto.

— Que fofinho! — disse a mamãe, balançando a cabeça. — Quanto tempo ele tem?

— Nessa foto tinha cinco meses, acho. Mas agora está grande. Tem quase oito anos!

— Uau! — exclamou a mamãe, assentindo e sorrindo. — Bem, ele é lindo.

— Obrigada — disse a Sra. Garcia, balançando a cabeça como se fosse dizer mais alguma coisa sobre o neto. Mas, de repente, seu sorriso diminuiu um pouco. — Nós vamos cuidar muito bem de August — falou para a mamãe, apertando de leve sua mão.

Olhei para o rosto da minha mãe e então percebi que ela estava tão nervosa quanto eu. Acho que eu gostava da Sra. Garcia — quando ela não estava com aquele sorriso animado.

Jack Will, Julian e Charlotte

O Sr. Buzanfa entrou em uma pequena sala depois da mesa da Sra. Garcia, fechou a porta do escritório e se sentou atrás da grande escrivaninha sem parar de falar, mas eu não estava prestando muita atenção. Olhava tudo o que havia na mesa dele. Eram coisas legais, como um globo que flutuava no ar e um tipo de cubo mágico feito de pequenos espelhos. Gostei muito do escritório dele. Gostei do fato de haver todos aqueles desenhos e pinturas de alunos nas paredes, emoldurados e organizados como se fossem importantes.

A mamãe se sentou em uma cadeira em frente à mesa do Sr. Buzanfa e, apesar de ter outra cadeira ali, decidi ficar em pé ao lado dela.

— Por que tem sua própria sala e a Sra. G., não? — perguntei.

— Você quer dizer por que eu tenho um escritório? — indagou o Sr. Buzanfa.

— Você disse que é ela quem manda na escola — falei.

— Ah! Bem, eu estava brincando. A Sra. G. é minha assistente.

— O Sr. Buzanfa é o diretor do ensino fundamental II — explicou a mamãe.

— As pessoas chamam você de Sr. B.? — perguntei, e isso o fez sorrir.

— Na verdade, não — disse o Sr. Buzanfa, balançando a cabeça. — Ninguém me chama de Sr. B., embora eu tenha a impressão de que sou chamado de muitas outras coisas que não sei. Vamos encarar os fatos: não é muito fácil conviver com um nome como o meu, se é que você me entende.

Tenho que admitir que eu ri, porque entendia completamente.

— Minha mãe e meu pai tiveram uma professora que se chamava Srta. Bum — contei.

— Auggie! — repreendeu-me a mamãe, mas o Sr. Buzanfa riu.

— Isso, sim, é bem ruim — disse ele, balançando a cabeça. — Acho que não tenho mais do que me queixar. Então, August, o que pensei que poderíamos fazer hoje...

— Aquilo é uma abóbora? — perguntei, apontando para uma pintura emoldurada atrás da mesa do Sr. Buzanfa.

— Auggie, querido, não interrompa — falou a mamãe.

— Você gostou? — perguntou o Sr. Buzanfa, se virando e olhando para a pintura. — Também gosto. Eu também achava que era uma abóbora, até o aluno que me deu o desenho explicar que não, que é... você está preparado?... um retrato meu! Agora, August, eu lhe pergunto: realmente me pareço tanto assim com uma abóbora?

— Não! — respondi, embora estivesse pensando que na verdade parecia. Alguma coisa no modo como as bochechas dele estufavam quando ele sorria lembrava uma lanterna de Halloween. Assim que pensei nisso, achei a ideia engraçada, então comecei a rir um pouco. Balancei a cabeça e cobri a boca com uma das mãos.

O Sr. Buzanfa sorriu, como se pudesse ler a minha mente.

Eu ia dizer mais alguma coisa, mas de repente ouvi outras vozes do lado de fora do escritório. Vozes de crianças. Não estou exagerando: meu coração disparou como se eu tivesse participado da corrida mais longa do mundo. Minha vontade de rir passou na mesma hora.

A questão é que, quando eu era pequeno, nunca me incomodava em conhecer outras crianças porque todas elas também eram pequenas. O legal de crianças pequenas é que elas não dizem coisas para tentar magoar você e, mesmo que às vezes façam isso, não sabem o que estão falando. Quando elas crescem, por outro lado... sabem muito bem o que estão dizendo. E isso, definitivamente, não é divertido para mim. Um dos motivos para eu ter deixado meu cabelo crescer no ano passado é que gosto do modo como a franja cobre meus olhos: isso me ajuda a tampar as coisas que não quero ver.

A Sra. Garcia bateu na porta, colocou a cabeça no vão entreaberto e avisou:

— Eles estão aqui, Sr. Buzanfa.

— Quem está aqui? — perguntei.

— Obrigado — disse o Sr. Buzanfa à Sra. Garcia. — August, achei que seria uma boa ideia você conhecer alguns alunos que estarão na sua turma este ano. Eles podem andar com você pela escola e fazer um reconhecimento da área, por assim dizer.

— Não quero conhecer ninguém — falei para a mamãe.

De repente o Sr. Buzanfa parou bem na minha frente, com as mãos nos meus ombros. Ele se inclinou e sussurrou no meu ouvido:

— Vai dar tudo certo, August. Eles são legais. Eu juro.

— Você vai ficar bem, Auggie — murmurou a mamãe, querendo muito acreditar no que dizia.

Antes que ela pudesse falar mais alguma coisa, o Sr. Buzanfa abriu a porta do escritório.

— Entrem, crianças.

Então dois garotos e uma menina entraram. Nenhum deles olhou para mim ou para a mamãe: ficaram parados na entrada, olhando diretamente para o Sr. Buzanfa, como se a vida deles dependesse disso.

— Muito obrigado por terem vindo, meninos. Sobretudo considerando que as aulas só começam no mês que vem! — falou o diretor. — O verão foi bom?

Eles assentiram, mas ninguém falou nada.

— Ótimo. Então, crianças, eu gostaria que vocês conhecessem o August, que vai estudar aqui este ano. August, esses alunos estão na Beecher Prep desde o jardim de infância. Na época, é claro, estudavam no prédio dos pequenos, mas já conhecem bem o programa do ensino fundamental. E, como vocês estarão na mesma turma, achei que seria bom que se conhecessem um pouco antes de as aulas começarem. Certo? Então, crianças, este é o August. August, este é o Jack Will.

Jack Will olhou para mim e estendeu a mão. Quando eu a apertei, ele abriu um sorrisinho e disse:

— Oi.

Depois olhou para baixo muito depressa.

— Este é o Julian — falou o Sr. Buzanfa.

— Oi — disse o garoto e depois fez exatamente a mesma coisa que o Jack Will: pegou minha mão, deu um sorriso forçado e olhou para baixo depressa.

— E a Charlotte — completou o Sr. Buzanfa.

Charlotte tinha os cabelos mais louros que eu já tinha visto. Ela não apertou minha mão. Em vez disso fez um aceno rápido e sorriu.

— Oi, August. É um prazer conhecer você — cumprimentou.

— Oi — falei, olhando para baixo.

Ela usava Crocs verde-limão.

— Então — disse o Sr. Buzanfa, juntando as mãos gentilmente, como se batesse palmas bem devagar. — O que acho que poderiam fazer é dar um pequeno passeio pela escola com o August. Por que não começam pelo terceiro andar? A sala de vocês será a 301. Eu acho. Sra. G...

— Sala 301! — gritou a Sra. G. do lado de fora do escritório.

— Sala 301 — repetiu o diretor, assentindo. — Em seguida podem mostrar ao August o laboratório de ciências e a sala de informática. Depois desçam até a biblioteca e o auditório, no segundo andar. E levem-no ao refeitório, é claro.

— Podemos levá-lo à sala de música? — perguntou o Julian.

— Boa ideia. Podem, sim — concordou o Sr. Buzanfa. — August, você toca algum instrumento?

— Não — respondi.

Música não era minha matéria favorita, levando-se em conta que não tenho orelhas. Bem, eu tenho, mas elas não parecem orelhas normais.

— Bem, talvez você goste de ver a sala de música mesmo assim — falou o Sr. Buzanfa. — Temos uma bela coleção de instrumentos de percussão.

— August, você não queria aprender a tocar bateria? — perguntou a mamãe.

Ela tentou fazer com que eu a olhasse, mas meus olhos estavam cobertos pela franja e miravam fixamente um chiclete velho colado na parte de baixo da mesa do Sr. Buzanfa.

— Ótimo! Muito bem, então por que vocês não vão em frente? — sugeriu o Sr. Buzanfa. — Estejam de volta em... — ele olhou para a mamãe — ... meia hora, ok?

Acho que a mamãe assentiu.

— Tudo bem por você, August? — perguntou ele, mas eu não respondi.

— Tudo bem, August? — repetiu a mamãe.

Dessa vez olhei para ela. Queria que ela notasse como eu estava zangado. Mas então vi seu rosto e apenas concordei. Ela parecia mais assustada que eu.

As outras crianças estavam saindo, e fui atrás delas.

— Vejo você daqui a pouco — disse a mamãe.

Sua voz pareceu um pouco mais alta que o normal. Não respondi.

O grande passeio

Jack Will, Julian, Charlotte e eu seguimos por um corredor comprido até chegarmos a uma escada bem larga. Ninguém disse nenhuma palavra enquanto subíamos até o terceiro andar.

Quando chegamos, entramos em um corredor pequeno e cheio de portas. O Julian abriu a que tinha o número 301.

— Esta é a nossa sala — falou ele, parado em frente à porta entreaberta. — Nossa professora da orientação será a Srta. Petosa. Dizem que ela é legal, pelo menos na aula de orientação, mas ouvi que é bem rigorosa quando ensina matemática.

— Não é verdade — discordou a Charlotte. — Minha irmã teve aulas com ela no ano passado e disse que ela é muito boazinha.

— Não foi o que eu ouvi por aí — insistiu o Julian —, mas tanto faz. — Ele fechou a sala e voltou a andar pelo corredor. — Aqui é o laboratório de ciências. — Do mesmo modo como fizera dois segundos antes, ele ficou em frente à porta entreaberta e começou a falar. Não olhou para mim nem uma vez, o que não era problema, porque eu também não estava olhando para ele. — Não dá para saber quem vai ser o professor de ciências até o primeiro dia de aula, mas o melhor é o Sr. Haller. Ele era do ensino fundamental I. Tocava uma tuba gigante nas aulas.

— Era um barítono — corrigiu-o a Charlotte.

— Era uma tuba! — repetiu o Julian, fechando a porta.

— Cara, deixe o garoto entrar e dar uma olhada — disse o Jack Will, empurrando o Julian e abrindo a porta de novo.

— Entre, se quiser — falou o Julian.

Foi a primeira vez que ele olhou para mim.

Dei de ombros e fui até a porta. O Julian saiu do caminho depressa, como se tivesse medo de que eu sem querer encostasse nele ao passar.

— Não tem muita coisa para ver — disse ele, entrando no laboratório atrás de mim. E começou a apontar para algumas coisas na sala.

— Aquela é a incubadora. Aquilo ali é o quadro. Essas são as mesas. Essas são as cadeiras. Aquilo é um bico de Bunsen. Isso aqui é um pôster de ciências nojento. Aquilo é giz. Isso é um apagador.

— Com certeza ele sabe o que é um apagador — falou a Charlotte, lembrando um pouco a Via.

— Como posso adivinhar o que ele sabe? — respondeu o Julian. — O Sr. Buzanfa disse que ele nunca foi à escola.

— Você sabe o que é um apagador, não sabe? — perguntou a Charlotte para mim.

Admito que estava tão nervoso que não soube o que dizer, nem o que fazer além de olhar para o chão.

— Ei, você fala? — indagou Jack Will.

— Sim — respondi, assentindo.

Eu ainda não tinha olhado para ninguém. Não diretamente.

— Você sabe o que é um apagador, não é? — repetiu o garoto.

— Claro! — murmurei.

— Eu falei que não tinha nada para ver aqui — disse o Julian, dando de ombros.

— Posso perguntar uma coisa? — falei, tentando manter a voz firme. — Hum... O que é orientação? É como uma matéria?

— Não. É só uma aula com a sua turma — explicou a Charlotte, ignorando o sorrisinho do Julian. — É a primeira aula de manhã, assim que chega à escola, e então a professora faz a chamada e tudo o mais. De certo modo, é sua aula principal, embora não seja exatamente uma aula. Quer dizer, é uma aula, mas...

— Acho que ele já entendeu, Charlotte — disse o Jack Will.

— Você entendeu? — perguntou ela.

— Entendi — respondi, balançando a cabeça.

— Ok. Vamos nessa — disse o Jack Will.

— Espere, Jack. Deveríamos tirar as dúvidas dele — falou a Charlotte. O Jack Will deu meia-volta e revirou os olhos.

— Você tem mais alguma pergunta? — questionou ele.

— Hum, não — respondi. — Bem, na verdade, sim. Seu nome é Jack ou Jack Will?

— Jack é o nome. Will é sobrenome.

— Ah, porque o Sr. Buzanfa apresentou você como Jack Will, então eu pensei...

— Rá! Você achou que o nome dele fosse Jackwill! — disse o Julian, rindo.

— É, algumas pessoas me chamam pelo nome completo — falou o Jack, encolhendo os ombros. — Não sei por quê. De qualquer forma, podemos ir agora?

— Agora vamos para o auditório — disse Charlotte, saindo do laboratório primeiro. — Lá é muito legal. Você vai gostar, August.

O auditório

A Charlotte praticamente não parou de falar enquanto a gente ia para o segundo andar. Contava sobre a peça que eles haviam montado no ano anterior, *Oliver!*, e disse que interpretou Oliver, apesar de ser menina. Enquanto estava contando isso, abriu as portas duplas do imenso auditório. Havia um palco do outro lado.

Ela começou a dar saltinhos naquela direção. O Julian a seguiu correndo e depois, quando já estava na metade do corredor, se virou para trás.

— Vem! — gritou, fazendo um gesto para que eu o acompanhasse, e foi o que fiz.

— Tinha, sei lá, centenas de pessoas na plateia naquela noite — disse Charlotte, e levei um segundo para entender que ela ainda estava falando sobre *Oliver!*. — Eu estava tão, tão nervosa! Tinha tantas falas e todas aquelas músicas para cantar... Foi tão, tão, tão difícil! — Apesar de estar falando comigo, ela não me olhava de verdade. — Na estreia, meus pais se sentaram lá no fundo do auditório, tipo onde o Jack está agora, mas quando as luzes estão apagadas não dá para enxergar daqui. Então eu fiquei meio desesperada, perguntando: "Cadê os meus pais? Cadê os meus pais?" E aí o Sr. Resnick, que era nosso professor de artes cênicas ano passado, disse: "Charlotte, pare de bancar a diva!" E eu respondi: "Então tá!" Mas aí vi os meus pais e fiquei totalmente tranquila. Não esqueci nenhuma fala.

Enquanto ela falava, percebi que o Julian olhava para mim pelo canto do olho. Essa é uma coisa que vejo as pessoas fazerem comigo muitas vezes. Elas acham que eu não sei que estão olhando, mas dá para perceber pelo modo como inclinam a cabeça. Virei para ver aonde Jack tinha ido. Ele ainda estava no fundo do auditório, aparentemente entediado.

— Todo ano nós montamos uma peça — disse a Charlotte.

— Duvido que ele vá querer participar da peça da escola, Charlotte — falou o Julian, sarcástico.

— Você pode participar sem necessariamente estar "na" peça — retrucou a Charlotte, olhando para mim. — Pode fazer a iluminação ou pintar os cenários.

— Ah, claro. Iupiii! — disse o Julian, balançando o dedo no ar.

— Mas você não precisa fazer a matéria de artes cênicas se não quiser. — Charlotte deu de ombros. — Tem também aulas de dança, música e o grupo do coral. Ou o clube de liderança.

— Só os idiotas se inscrevem no clube de liderança — interrompeu o Julian.

— Julian, você está sendo tão desagradável! — reclamou a Charlotte, o que fez o garoto rir.

— Vou fazer a eletiva de ciências — falei.

— Legal! — exclamou ela.

O Julian olhou bem para mim e disse:

— Ciências, supostalmente, é a eletiva mais difícil de todas. Sem ofensas, mas, se você *nunca* foi à escola antes, por que acha que de repente vai ser inteligente o bastante para fazer a eletiva de ciências? Quer dizer, você já estudou ciências antes? Ciências de verdade, não o tipo que se faz com kits de brinquedo.

— Sim — falei, assentindo.

— Ele estudava em casa, Julian! — disse a Charlotte.

— Os professores iam até a sua casa? — perguntou ele, parecendo confuso.

— Não. Era a mãe dele quem dava as aulas — respondeu ela.

— Ela é professora? — insistiu o Julian.

— Sua mãe é professora? — a Charlotte me perguntou.

— Não — respondi.

— Então ela não dava aulas de verdade! — disse o Julian, como se isso resolvesse a questão. — É disso que estou falando. Como alguém que não é professora de verdade pode ensinar ciências?

— Tenho certeza de que você vai se sair bem — falou a Charlotte, olhando para mim.

— Vamos logo para a biblioteca — gritou o Jack, dando a impressão de estar muito entediado.

— Por que o seu cabelo é tão comprido? — perguntou o Julian.

Pelo tom de voz, ele parecia irritado.

Eu não sabia o que responder, então apenas dei de ombros.

— Posso fazer uma pergunta? — insistiu ele.

Dei de ombros de novo. Ele não tinha acabado de fazer uma?

— O que houve com o seu rosto? Quer dizer, você esteve em um incêndio ou algo assim?

— Julian, que grosseria! — repreendeu a Charlotte.

— Não estou sendo grosseiro — disse ele. — Só fiz uma pergunta. O Sr. Buzanfa disse que a gente podia fazer perguntas, se quisesse.

— Não perguntas grosseiras como essa — retrucou Charlotte. — Além do mais, ele nasceu assim. Foi o que o Sr. Buzanfa disse. Você é que não estava prestando atenção.

— Eu estava prestando atenção, sim! Só achei que talvez ele também tivesse se queimado em um incêndio.

— Meu Deus, Julian — disse o Jack. — Cale a boca.

— Cale a boca você! — gritou o Julian.

— Vamos, August — falou Jack. — Vamos à biblioteca.

Fui até o Jack e o segui para fora do auditório. Ele segurou a porta para mim e, quando passei, olhou bem para o meu rosto, meio que me desafiando a olhar de volta, o que eu fiz. E então sorri. Não sei. Às vezes, quando tenho a sensação de que vou começar a chorar, ela acaba quase se transformando em vontade de rir. Deve ter sido isso que senti na hora, porque sorri, quase como se fosse começar a gargalhar. A questão é que, por causa do meu rosto, as pessoas que não me conhecem muito bem nem sempre sabem que estou sorrindo. Os cantos da minha boca não sobem, como os das outras pessoas. Meu sorriso é só um risco no meu rosto. Mas, de algum modo, o Jack Will entendeu que eu estava sorrindo para ele. E sorriu de volta.

— O Julian é um idiota — sussurrou ele antes que o Julian e a Charlotte nos alcançassem. — Mas, cara, você vai ter que falar.

Ele disse isso de um jeito sério, como se estivesse tentando me ajudar. Balancei a cabeça concordando e o Julian e a Charlotte chegaram perto da gente. Ficamos todos em silêncio por um segundo, meio que assentindo, olhando para o chão. Então ergui os olhos para o Julian.

— O certo é "supostamente", aliás.

— Do que você está falando?

— Você disse "supostalmente" naquela hora — respondi.

— Não disse, não!

— Disse, sim — confirmou a Charlotte. — Você falou que ciências é supostalmente muito difícil. Eu ouvi.

— Com certeza eu não falei isso — insistiu ele.

— Tanto faz — disse o Jack. — Vamos logo.

— Isso, vamos logo — concordou a Charlotte, seguindo-o pela escada até o andar de baixo.

Comecei a ir atrás dela, mas o Julian se meteu bem na minha frente, o que me fez perder o equilíbrio e cambalear para trás.

— Opa, foi mal!

Mas, pelo jeito como ele me olhou, eu sabia que não estava sendo sincero.

O acordo

A mamãe e o Sr. Buzanfa estavam conversando quando voltamos ao escritório. A Sra. Garcia foi a primeira a nos ver chegar e abriu seu sorriso brilhante quando entramos.

— Então, August, o que você achou? Gostou do que viu? — perguntou ela.

— Gostei.

Balancei a cabeça e olhei para a mamãe.

Jack, Julian e Charlotte esperaram perto da porta, sem saber aonde ir ou se a gente ainda precisaria deles. Fiquei me perguntando o que mais eles teriam ouvido sobre mim antes de me conhecerem.

— Você viu o pintinho? — perguntou a mamãe.

Quando fiz que não com a cabeça, o Julian indagou:

— Você quer dizer os pintinhos da aula de ciências? Eles são doados a uma fazenda no final do ano.

— Ah — murmurou a mamãe, desapontada.

— Mas chocamos novos ovos todos os anos — acrescentou o Julian. — Então o August vai poder vê-los na primavera.

— Que bom — disse a mamãe, olhando para mim. — Eles eram tão fofos, August...

Eu gostaria que ela não me tratasse como um bebê na frente das outras pessoas.

— Então, August — falou o Sr. Buzanfa —, eles mostraram o bastante ou você quer ver mais alguma coisa? Eu me esqueci de pedir que lhe mostrassem a quadra de esportes.

— Nós mostramos mesmo assim, Sr. Buzanfa — disse o Julian.

— Excelente! — respondeu o diretor.

— E eu falei sobre a peça da escola e algumas eletivas — contou a Charlotte. — Ah, não! Esquecemos de mostrar a sala de artes!

— Não tem problema — disse o Sr. Buzanfa.

— Mas podemos levá-lo lá agora — ofereceu ela.

— Não está quase na hora de buscarmos a Via? — perguntei à mamãe.

Esse era nosso código para "eu quero muito ir embora".

— Ah, você tem razão — respondeu ela, levantando-se e fingindo checar as horas no relógio. — Desculpe, pessoal. Perdi a noção do tempo. Temos que buscar minha filha na escola nova. Ela também está fazendo um passeio por lá hoje.

Essa parte não era mentira: a Via estava mesmo conhecendo a escola nova naquele dia. A mentira era que a gente ia buscá-la lá. Não íamos. Ela iria para casa mais tarde com o papai.

— Qual é a escola dela? — perguntou o Sr. Buzanfa, ficando de pé.

— Ela vai começar na Faulkner High School.

— Uau! Não é fácil entrar lá. Que bom para ela!

— Obrigada — disse a mamãe, assentindo. — Mas vai ser uma viagem e tanto. O metrô até a estação da rua 86, depois o ônibus até o East Side. É um trajeto de uma hora desse jeito, mas, de carro, são só quinze minutos.

— Vai valer a pena. Conheço algumas crianças que foram para a Faulkner e adoraram — declarou o diretor.

— Temos que ir mesmo, mãe — falei, cutucando-a. Depois disso nos despedimos rapidinho. Acho que o Sr. Buzanfa ficou um pouco surpreso por irmos embora tão de repente e pensei que ele poderia culpar o Jack e a Charlotte, embora só o Julian tivesse feito eu me sentir meio mal. — Todos foram muito legais — fiz questão de dizer antes de sairmos.

— Mal posso esperar para ter você como nosso aluno — disse o Sr. Buzanfa, dando tapinhas nas minhas costas.

— Tchau — falei para o Jack, a Charlotte e o Julian, mas, na verdade, não olhei para eles nem levantei a cabeça até que já tivéssemos saído da escola.

Casa

Assim que caminhamos meio quarteirão, a mamãe disse:

— E aí, como foi? Você gostou?

— Ainda não, mãe. Em casa.

Chegamos lá, corri para o meu quarto e me joguei na cama. Eu tinha certeza de que mamãe não sabia qual era o problema, e acho que, na verdade, eu também não. Eu me sentia ao mesmo tempo muito triste e um tantinho feliz, meio com aquela vontade de rir e chorar de novo.

Minha cadela, Daisy, me seguiu até o quarto, pulou na cama e começou a lamber meu rosto.

— Quem é a minha menina boazinha? — falei, fazendo uma voz engraçada. — Quem é a minha menina boazinha?

— Está tudo bem, meu amor? — perguntou a mamãe. Ela tentou sentar ao meu lado, mas a Daisy estava monopolizando a cama. — Com licença, Daisy. — Ela se sentou, empurrando a cadela para o canto. — Aquelas crianças não foram legais com você, Auggie?

— Ah, elas eram mais ou menos — respondi, mentindo só um pouco.

— Mas foram legais? O Sr. Buzanfa fez questão de me dizer como elas eram bacanas.

— Ãh-hã.

Assenti, mas continuei olhando para a Daisy, beijando-a no nariz e fazendo carinho em sua orelha até que a pata traseira deu uma tremidinha, como se ela fosse se coçar.

— Aquele menino, o Julian, pareceu especialmente bonzinho — falou mamãe.

— Ah, não. Ele era o menos bonzinho. Mas gostei do Jack. Ele foi legal. Achei que o nome dele fosse Jack Will, mas é só Jack.

— Espere, talvez eu esteja confundindo. Qual deles era o de cabelo escuro penteado para a frente?

— O Julian.

— E ele não era bonzinho?

— Não, não era.

— Ah. — Ela refletiu por um segundo. — Certo, então ele é daquele tipo de garoto que age de um jeito na frente dos adultos e de outro com as crianças?

— É, acho que sim.

— Ah, detesto esse tipo — respondeu ela, assentindo.

— Ele ficou falando, tipo, "Então, August, o que houve com o seu rosto?" — expliquei, sem tirar os olhos da Daisy. — "Você esteve em um incêndio ou algo assim?"

A mamãe não disse nada. Quando ergui os olhos, deu para ver que ela estava completamente chocada.

— Ele não disse isso de um jeito cruel — falei depressa. — Só perguntou.

Mamãe assentiu.

— Mas gostei mesmo do Jack — acrescentei. — Ele disse "Cala a boca, Julian". E a Charlotte falou: "Que grosseria, Julian!"

Mamãe assentiu de novo e apertou as têmporas, como se estivesse com dor de cabeça.

— Você me desculpe, Auggie — falou ela, baixinho.

Suas bochechas estavam muito vermelhas.

— Não, mãe, tudo bem, de verdade.

— Você não tem que ir para a escola se não quiser, querido.

— Eu quero — falei.

— Auggie...

— Sério, mãe. Quero ir.

E eu não estava mentindo.

Nervosismo do primeiro dia

Certo, admito que no primeiro dia de aula eu estava tão nervoso que, em vez de frio, eu estava era com um polo norte inteiro na barriga! A mamãe e o papai deviam estar um pouco nervosos também, mas agiam como se estivessem muito animados por mim, tirando fotos minhas e da Via antes de sairmos de casa, afinal era o primeiro dia de aula dela também.

Até poucos dias antes, a gente ainda não tinha certeza se eu iria mesmo para a escola. Depois do passeio, o papai e a mamãe tinham invertido suas opiniões. Agora era a mamãe quem dizia que eu não deveria ir, enquanto o papai defendia que sim. Papai havia falado para mim que estava muito orgulhoso do modo como eu tinha lidado com o Julian e que eu estava me transformando em um rapaz muito forte, e o ouvi dizer para a mamãe que ela esteve certa desde o início. Mas percebi que mamãe já não tinha tanta certeza. Quando papai disse a ela que a Via e ele também queriam me levar para a escola, porque era caminho para a estação de metrô, mamãe pareceu aliviada por irmos todos juntos. E acho que eu também, um pouco.

Embora a Beecher Prep ficasse a apenas alguns quarteirões da nossa casa, eu só estivera ali duas vezes antes. Em geral, tento evitar lugares com muitas crianças diferentes. Na nossa vizinhança, todo mundo me conhece e eu conheço todos. Conheço cada tijolo, cada galho das árvores e cada rachadura nas calçadas. Conheço a Sra. Grimaldi, a moça que fica sempre sentada à janela e o senhor que anda de cima para baixo pela rua assoviando como um passarinho. Conheço a mercearia da esquina, onde a mamãe compra nossos bagels, e a garçonete da cafeteria, que me chama de "querido" e me dá pirulitos sempre que me vê. Adoro o bairro de North River Heights, e por isso era estranho caminhar pela região com a sensação de que, de repente, tudo era novo para mim. A avenida Amesfort, onde eu já estivera um milhão de vezes, por algum motivo parecia completamente diferente. Estava cheia de pessoas que eu nunca vira, esperando o ônibus ou empurrando carrinhos de bebê.

Cruzamos a Amesfort e entramos na Heights Place: a Via andava do meu lado como costuma fazer, com a mamãe e o papai atrás de nós. Assim que dobramos a esquina, vimos todas as crianças na frente da escola — centenas, conversando e rindo em pequenos grupos ou perto dos pais, que conversavam com outros pais. Fiquei de cabeça baixa.

— Todos eles estão tão nervosos quanto você — disse a Via no meu ouvido. — Lembre-se de que é o primeiro dia de todos na escola. Certo?

O Sr. Buzanfa cumprimentava alunos e responsáveis na entrada.

Tenho que admitir: até ali nada de mau tinha acontecido. Não flagrei ninguém me encarando ou me observando. Só uma vez ergui os olhos e vi algumas garotas olhando na minha direção e cochichando, tapando as bocas com as mãos, mas elas desviaram o olhar quando viram que eu tinha notado.

Chegamos ao portão.

— Certo, então é isso, garotão — disse o papai, apoiando as mãos nos meus ombros.

— Tenha um bom primeiro dia. Amo você — falou a Via, me dando um grande beijo e um abraço.

— Você também — respondi.

— Amo você, Auggie — disse o papai, me abraçando.

— Tchau.

Então a mamãe me abraçou, mas notei que ela estava prestes a chorar, o que me mataria de vergonha, por isso apenas lhe dei um abraço forte e apressado, virei-me e desapareci dentro da escola.

Armários

Fui direto para a sala 301 no terceiro andar. Agora estava feliz por ter feito aquele passeio, porque sabia exatamente aonde deveria ir e não tive que levantar a cabeça nenhuma vez. Percebi que algumas crianças com certeza estavam me olhando. Então fiz o que sempre faço: fingi não notar.

Entrei na sala de aula e a professora estava escrevendo no quadro-negro enquanto os alunos começavam a se sentar nas carteiras, que estavam dispostas em um semicírculo de frente para o quadro. Então escolhi a cadeira do meio, mais para o fundo, porque achei que assim seria mais difícil que os outros ficassem olhando para mim. Continuei de cabeça baixa, só tirei o cabelo da frente dos olhos o suficiente para ver os pés de todo mundo. Conforme as carteiras iam sendo ocupadas, notei que ninguém tinha se sentado ao meu lado. Algumas vezes parecia que alguém estava prestes a fazer isso, mas aí mudava de ideia no último minuto e ia para outro lugar.

— Oi, August.

Era a Charlotte, que acenou para mim quando se sentou em uma carteira na frente da sala. Não sei por que alguém escolheria ficar lá na frente.

— Oi — falei, retribuindo o cumprimento.

Então vi o Julian sentado algumas carteiras depois dela, conversando com alguns outros alunos. Percebi que ele me viu, mas não falou "oi".

De repente alguém se sentou do meu lado. Era o Jack Will. O Jack.

— E aí? — disse ele, inclinando a cabeça.

— Oi, Jack — falei, acenando, e me arrependi imediatamente, porque não pareceu nada maneiro.

— Certo, crianças, vamos lá, pessoal! Sentem-se — ordenou a professora, agora olhando para nós. Ela havia escrito seu nome, Sra. Petosa, no quadro-negro. — Vamos sentar, por favor. Entrem — falou para dois alunos que tinham acabado de chegar. — Tem um lugar ali e outro lá.

Ela ainda não tinha me notado.

— Agora, para começar, quero que todos parem de falar... — ela me viu — ...ponham as mochilas no chão e fiquem quietos.

A professora hesitou por apenas uma fração de segundo, mas percebi exatamente o momento em que me achou. Como já disse, estou acostumado com isso.

— Vou fazer a chamada e dizer onde vocês vão sentar — continuou a Sra. Petosa, sentando-se na beirada da mesa. Ao lado dela havia três fileiras bem-organizadas de pastas sanfonadas. — Quando eu chamar os nomes, cada um se levanta para receber sua pasta. Nela, vocês encontrarão o horário de aulas e um cadeado, que vocês *não* devem tentar abrir até eu mandar. O número do armário de vocês está escrito no horário. Saibam que alguns armários não ficam em frente à sala, e sim no fim do corredor, e, antes que alguém pergunte, não, vocês não podem trocar de armário nem de cadeado. Depois, se sobrar tempo no final da aula, vamos todos nos conhecer um pouco melhor, certo? Certo.

Ela pegou a prancheta na mesa e começou a ler os nomes em voz alta.

— Então vamos lá: Julian Albans — chamou, erguendo os olhos.

Julian levantou o braço e, ao mesmo tempo, disse:

— Aqui.

— Oi, Julian — falou a professora, fazendo uma anotação no quadro de lugares. Ela pegou a primeira pasta sanfonada e estendeu para ele. — Venha pegar — acrescentou, séria. Ele se levantou e pegou a pasta. — Ximena Chin?

Ela entregou uma pasta a cada criança que chamava. Enquanto prosseguia com a lista, notei que a carteira ao lado da minha era a única ainda vazia, embora houvesse dois alunos sentados juntos um pouco à frente. Quando chamou o nome de um deles, Henry Joplin, um garoto grande que já parecia adolescente, a professora disse:

— Henry, tem um lugar vazio bem ali. Vá se sentar lá, certo?

Ela entregou-lhe a pasta e apontou para a carteira ao meu lado. Apesar de não olhar diretamente para ele, percebi que Henry não queria ficar perto de mim, só pelo modo como arrastou a mochila pelo chão ao se aproximar, como se estivesse andando em câmera lenta. Então ele pôs a mochila no canto direito da carteira, na vertical para que ela ficasse como um muro entre nossas mesas.

45

— Maya Markowitz? — chamou a Sra. Petosa.

— Aqui — disse uma garota sentada umas quatro carteiras depois da minha.

— Miles Noury?

— Aqui — respondeu o aluno que tinha dividido a carteira com Henry Joplin.

Enquanto Miles voltava ao seu lugar, vi ele lançando um olhar de pena para o amigo.

— August Pullman? — chamou a professora.

— Aqui — falei baixinho, levantando um pouco a mão.

— Oi, August — respondeu ela, abrindo um sorriso gentil para mim quando levantei para buscar a pasta.

Durante os poucos segundos em que fiquei de pé na frente da sala, senti os olhares de todos os alunos queimando nas minhas costas, mas quando me virei para voltar para o lugar, todo mundo olhou para baixo. Eu me sentei, e, embora todos os outros estivessem tentando abrir seus cadeados, me segurei para não mexer no meu, porque a professora tinha sido muito clara ao dizer que não fizéssemos aquilo. De todo modo, eu já era muito bom com cadeados, porque prendia minha bicicleta com um. Henry tentou várias vezes abrir o dele, mas não conseguiu. Estava ficando frustrado e começou a meio que xingar baixinho.

A Sra. Petosa chamou os últimos nomes. O último foi Jack Will.

Depois de entregar a pasta do Jack, ela disse:

— Muito bem. Quero que todos anotem suas combinações em um lugar seguro para que não a esqueçam, ok? Mas, caso esqueçam, o que acontece pelo menos 3,2 vezes por semestre, a Sra. Garcia tem uma lista com todas as combinações. Agora tirem os cadeados das pastas e treinem abri-los por alguns minutos, embora alguns de vocês já tenham começado. — Ela olhou para Henry ao dizer isso. — Enquanto isso, vou falar um pouco sobre mim. E depois vocês podem falar um pouco de vocês e nós vamos, hum... nos conhecer melhor. Tudo bem? Ótimo.

Ela sorriu para todos, embora eu sentisse que ela sorria mais para mim. Não era um sorriso brilhante como o da Sra. Garcia, mas um sorriso normal, sincero. Ela era muito diferente das professoras que eu havia imaginado. Acho que pensei que seria parecida com a Dona Flora, daquele desenho, *Jimmy Neutron*: uma velhinha com um grande coque no alto da cabeça. Mas, na verdade, ela era igualzinha à Mon Mothma do *Star Wars Episódio IV*: corte de cabelo de menina e camisa branca larga, como uma túnica.

Ela se virou e começou a escrever no quadro-negro. Henry ainda não tinha conseguido abrir o cadeado e ficava cada vez mais frustrado quando alguém conseguia. Ele ficou bem aborrecido quando consegui abrir o meu na primeira tentativa. O mais engraçado é que, se ele não tivesse posto a mochila entre nós dois, eu com certeza teria me oferecido para ajudá-lo.

Apresentações

A Sra. Petosa nos contou um pouco sobre si. Coisas chatas, como de que cidade ela veio e que sempre quis ser professora, largou um emprego em Wall Street seis anos antes para seguir seu "sonho" de dar aulas para crianças. Ela terminou querendo saber se alguém tinha alguma pergunta, e o Julian levantou o braço.

— Pois não... — ela teve que olhar para a lista para se lembrar do nome dele — Julian.

— Legal isso de você seguir seu sonho — falou ele.

— Obrigada!

— De nada!

Ele sorriu, orgulhoso.

— Certo. Por que não fala para a gente um pouco sobre você, Julian? Na verdade, quero que todos façam isso. Pensem em duas coisas que querem que os outros saibam sobre vocês. Mas antes, esperem um instante: quantos de vocês já estudavam na Beecher?

Mais ou menos metade das crianças levantou o braço.

— Tudo bem. Então alguns já se conhecem, mas acho que os outros são novos na escola, certo? Muito bem. Pensem em duas coisas que gostariam que seus colegas soubessem sobre vocês. E quem já conhece alguns dos outros alunos tente pensar em coisas que eles ainda não saibam. Certo? Está certo. Então vamos começar com Julian.

O Julian fez uma careta e começou a dar tapinhas na testa, como se estivesse se concentrando muito.

— Bem, quando você estiver pronto — disse a Sra. Petosa.

— Tá, a primeira coisa é que...

— Por favor, comecem dizendo seus nomes, ok? — interrompeu ela. — Isso vai me ajudar a me lembrar dos nomes de todo mundo.

— Ah, tudo bem. Meu nome é Julian. E a primeira coisa que gostaria de dizer a todos sobre mim mesmo é que... acabei de comprar o jogo

Battleground Mystic para Wii, e é totalmente incrível. E a segunda coisa é que compramos uma mesa de pingue-pongue nesse verão.

— Que bom. Adoro pingue-pongue — disse a Sra. Petosa. — Alguém gostaria de fazer uma pergunta a Julian?

— O Battlegroung Mystic é para quantos jogadores? — perguntou o menino chamado Miles.

— Não esse tipo de pergunta, pessoal — corrigiu a Sra. Petosa. — Tudo bem, e você...

Ela apontou para a Charlotte, provavelmente porque estava sentada lá na frente.

— Ah, claro. — A Charlotte não hesitou nem por um segundo, como se já soubesse o que queria falar. — Meu nome é Charlotte. Tenho duas irmãs e nós ganhamos uma cachorrinha em julho. O nome dela é Suki e nós a pegamos num abrigo para animais. Ela é tão, tão fofinha!

— Que ótimo, Charlotte, obrigada — disse a Sra. Petosa. — Muito bem, quem será o próximo?

O cordeiro vai para o abate

"Como um cordeiro indo para o abate": *o que se diz sobre alguém que vai tranquilamente a algum lugar, sem saber que algo desagradável está prestes a acontecer.*

Procurei no Google ontem à noite. Era nisso que eu estava pensando quando a Sra. Petosa chamou meu nome e, de repente, era minha vez de falar.

— Meu nome é August — comecei e, sim, eu meio que resmunguei.

— O quê? — perguntou alguém.

— Pode falar um pouco mais alto, querido? — pediu a Sra. Petosa.

— Meu nome é August — repeti, mais alto dessa vez, obrigando-me a olhar para cima. — Eu, hum... tenho uma irmã chamada Via e uma cadela chamada Daisy. E, hum... é isso.

— Maravilhoso — disse a Sra. Petosa. — Alguém quer perguntar alguma coisa para o August?

Ninguém falou nada.

— Certo, você é o próximo — disse ela para o Jack.

— Espere, eu tenho uma pergunta para o August — disse o Julian, levantando a mão. — Por que você tem essa trancinha na parte de trás do cabelo? É uma coisa tipo Padawan?

— É — respondi, dando de ombros e assentindo.

— O que é uma coisa tipo Padawan? — a Sra. Petosa me perguntou, sorrindo.

— É do *Star Wars* — respondeu o Julian. — Um Padawan é um aprendiz de Jedi.

— Hum, interessante — disse a professora, olhando para mim. — Então você gosta de *Star Wars*, August?

— Gosto.

Fiz que sim com a cabeça, sem olhar para cima, porque o que eu queria mesmo era escorregar para debaixo da mesa.

— Qual é o seu personagem favorito? — perguntou o Julian.

Comecei a pensar que talvez ele não fosse tão ruim assim.

— O Jango Fett.

— E o Darth Sidious? — disse ele. — Você gosta dele?

— Ok, meninos, vocês podem conversar sobre *Star Wars* no recreio — falou a Sra. Petosa em um tom alegre. — Mas vamos continuar. Ainda não ouvimos nada sobre *você* — disse ao Jack.

Agora era a vez de o Jack falar, mas admito que não ouvi nem uma palavra do que ele disse. Talvez ninguém tenha entendido a coisa do Darth Sidious, e talvez o Julian não estivesse dizendo nada de mais. Mas em *Star Wars Episódio III: A vingança dos Sith*, o rosto do Darth Sidious é queimado pelos raios dos Sith e fica completamente deformado. A pele dele fica toda enrugada e a cara inteira meio que derrete.

Dei uma espiada na direção do Julian e ele estava olhando para mim. É, ele sabia o que estava falando.

Escolha ser gentil

Houve muita confusão na sala quando o sinal tocou e todos se levantaram para sair. Conferi meu horário e a aula seguinte era de inglês, na sala 321. Não parei para ver se mais alguém da minha turma seguia para o mesmo lugar — saí correndo da sala, passei pelo corredor bem rápido e me sentei o mais longe possível da frente da classe. O professor, um homem bem alto com uma barba amarelada, estava escrevendo no quadro-negro.

Os alunos entraram em pequenos grupos, rindo e conversando, mas não ergui os olhos. Basicamente, aconteceu o mesmo da primeira aula: ninguém se sentou ao meu lado. Só o Jack, que fazia piadinhas com alguns alunos que não estavam na sala da Sra. Petosa. Dava para perceber que o Jack era o tipo de garoto de quem as outras crianças gostavam. Ele tinha muitos amigos e fazia as pessoas rirem.

Quando o segundo sinal tocou, todos ficaram em silêncio e o professor se virou para a gente. Disse que seu nome era Sr. Browne, e então começou a falar sobre o que estudaríamos naquele semestre. A certa altura, em algum momento entre *Uma dobra no tempo* e *Shen of the Sea*, ele me notou, mas não se interrompeu.

Passei a maior parte do tempo rabiscando no caderno enquanto o ouvia, mas de vez em quando eu olhava de relance para os outros alunos. A Charlotte estava na aula. Julian e Henry também. O Miles, não.

O Sr. Browne havia escrito no quadro, em grandes letras de forma:

P-R-E-C-E-I-T-O!

— Certo, quero que todos anotem esta palavra no topo da primeira folha do caderno de inglês. — Enquanto fazíamos isso, ele disse: — Muito bem, quem pode me dizer o que é preceito? Alguém sabe?

Ninguém levantou a mão.

O Sr. Browne sorriu, assentiu e se virou para escrever no quadro de novo:

PRECEITOS — REGRAS A RESPEITO DE COISAS MUITO IMPORTANTES!

— Como lemas? — perguntou alguém.

— Como lemas! — respondeu o Sr. Browne, balançando a cabeça afirmativamente enquanto continuava a escrever no quadro. — Como uma citação famosa. Como a mensagem de um biscoitinho da sorte. Qualquer ditado ou fundamento que motive você. Basicamente, um preceito é qualquer coisa que nos sirva como orientação quando tomamos decisões difíceis sobre questões importantes.

Ele escreveu tudo isso no quadro e depois se virou para nós.

— Então, deem exemplos de coisas *muito importantes* — perguntou-nos.

Algumas crianças ergueram o braço e, conforme o professor as apontava, elas davam suas respostas, que ele escrevia no quadro com uma caligrafia terrível:

REGRAS. TRABALHO ESCOLAR. DEVER DE CASA.

— O que mais? — perguntava e escrevia, sem nem se virar. — Vão falando!

Anotou tudo que os alunos disseram.

FAMÍLIA.
PAIS.
BICHOS DE ESTIMAÇÃO.

Uma menina gritou:

— O meio ambiente!

MEIO AMBIENTE.

Ele escreveu isso no quadro e acrescentou:

53

NOSSO MUNDO!

— Tubarões, porque comem criaturas mortas no oceano! — disse um dos meninos, que se chamava Reid.

O Sr. Browne anotou:

TUBARÕES.

— Abelhas!

— Cintos de segurança!

— Reciclagem!

— Amigos!

— Certo — disse o Sr. Browne, escrevendo tudo no quadro. Quando terminou, se virou para nos encarar de novo. — Mas ninguém falou a coisa mais importante.

Todos nós olhamos para ele, sem mais nenhuma ideia.

— Deus? — tentou alguém, e percebi que, embora o Sr. Browne tivesse escrito "Deus" no quadro, essa não era a resposta que ele queria.

Sem mais uma palavra sequer, ele escreveu:

QUEM NÓS SOMOS!

— Quem nós somos — disse, sublinhando cada uma das palavras ao pronunciá-las. — Quem nós somos! Nós! Certo? Que tipo de pessoas somos? Que tipo de pessoas são vocês? Não é isso o mais importante? Não é esse tipo de pergunta que deveríamos nos fazer o tempo inteiro? "Que tipo de pessoa eu sou?" Algum de vocês notou a placa ao lado do portão desta escola? Leram o que estava escrito? Alguém? — Ele olhou em volta, mas ninguém sabia. — A placa diz: "Conhece-te a ti mesmo" — falou o Sr. Browne, sorrindo e assentindo. — E é isto que vamos fazer aqui: descobrir quem somos.

— Achei que estivéssemos aqui para estudar inglês — soltou Jack, fazendo todo mundo rir.

— É, e isso também! — respondeu o professor, o que achei muito legal da parte dele.

Ele se virou de costas e escreveu em enormes letras de forma, que ocuparam toda a largura do quadro-negro:

PRECEITO DE SETEMBRO DO SR. BROWNE:
QUANDO TIVER QUE ESCOLHER ENTRE ESTAR CERTO E SER GENTIL, ESCOLHA
SER GENTIL.

— Muito bem — retomou ele, virando-se novamente para nós. — Quero que criem uma divisão no caderno e a chamem de "Os preceitos do Sr. Browne". — Enquanto fazíamos o que foi pedido, o professor continuou: — Escrevam a data de hoje no topo da primeira página. E, de hoje em diante, no início de cada mês, vou escrever no quadro um novo preceito do Sr. Browne e vocês irão copiá-lo no caderno. Em seguida vão discutir o preceito e seu significado. E, no fim do mês, escreverão uma redação sobre ele, sobre o que significou para vocês. Assim, no fim do ano, todos terão sua própria lista de preceitos. Peço a todos os meus alunos que, durante o verão, criem seu próprio preceito, escrevam-no em um cartão-postal e me enviem de onde quer que estejam passando as férias.

— As pessoas fazem isso mesmo? — perguntou uma garota, cujo nome eu não sabia.

— Ah, sim — respondeu ele. — Fazem, sim. Na verdade, já tive alunos que me mandaram novos preceitos mesmo muitos anos depois de terem se formado. É muito legal. — Ele fez uma pausa e coçou a barba. — Mas, tudo bem, sei que o próximo verão parece muito distante — brincou, fazendo a gente rir. — Então, podem relaxar um pouco enquanto faço a chamada e, quando terminarmos, vou falar um pouco sobre todas as coisas divertidas que faremos este ano... na aula de *inglês*.

Ao dizer isso, ele apontou para Jack, o que também foi engraçado, por isso todos rimos de novo.

Enquanto eu escrevia o preceito do Sr. Browne de setembro, de repente me dei conta de que ia gostar da escola. Do jeito que fosse.

Almoço

A Via tinha me alertado sobre o almoço na escola, então acho que eu deveria saber que seria difícil. Só não esperava que fosse tanto. Basicamente, todas as crianças de todas as turmas de quinto ano inundaram o refeitório ao mesmo tempo, falando alto e esbarrando umas nas outras enquanto corriam para mesas diferentes. Uma das inspetoras que tomavam conta do refeitório disse algo sobre ser proibido guardar lugares, mas não entendi do que ela estava falando, e talvez mais ninguém tenha entendido, porque quase todo mundo estava guardando lugar para os amigos. Tentei me sentar a uma mesa, mas a criança na cadeira ao lado disse:

— Ah, desculpe, mas já tem alguém aí.

Então fui a uma mesa vazia e esperei até a bagunça acabar e a inspetora nos dizer o que fazer em seguida. Quando ela começou a explicar as regras do refeitório, procurei em volta para ver onde o Jack Will estava, mas não o vi por perto. Ainda tinha alunos entrando quando os professores começaram a mandar os ocupantes das primeiras mesas pegarem suas bandejas e fazerem fila no balcão. O Julian, o Henry e o Miles estavam sentados mais para o fim do refeitório.

Mamãe havia feito um sanduíche de queijo para o meu almoço, com biscoitos cream-crackers e uma caixa de suco, por isso não precisei ir para a fila quando minha mesa foi chamada. Em vez disso, simplesmente me concentrei em abrir a mochila, pegar o saco com o lanche e, bem devagar, abrir a embalagem de papel-alumínio do sanduíche.

Mesmo sem erguer os olhos, eu sabia que estava sendo observado. Sabia que as pessoas estavam cutucando umas às outras, espiando pelo canto do olho. Pensei que já estivesse acostumado com esse tipo de coisa, mas talvez não.

Havia uma mesa cheia de garotas cochichando sobre mim — sei disso porque elas tapavam a boca com a mão. Os olhos ficavam indo e voltando na minha direção.

Odeio meu jeito de comer. Sei que parece muito estranho. Passei por uma cirurgia para corrigir o lábio leporino quando era bebê e depois por outra quando tinha quatro anos, mas ainda tenho um buraco no céu da boca. E, embora tenha passado por uma cirurgia para alinhar o maxilar, há alguns anos, tenho que mastigar a comida na parte da frente da boca. Eu nunca tinha percebido como isso era estranho até que certa vez, em uma festa de aniversário, um dos garotos disse para a mãe do aniversariante que não queria se sentar do meu lado porque eu fazia muita sujeira, deixava escapar farelos de comida da minha boca. Sei que o menino não fez por mal, mas ele se meteu em uma grande enrascada depois, porque a mãe dele ligou para a minha para pedir desculpas. Quando cheguei em casa depois da festa, fui até o espelho do banheiro e comecei a comer um biscoito para ver como ficava quando estava mastigando. O garoto estava certo. Eu como feito uma tartaruga, se é que você já viu uma tartaruga comendo. Como um monstro do pântano pré-histórico.

A mesa do verão

— Ei, este lugar está ocupado?

Olhei para cima. Uma garota que eu nunca tinha visto estava de pé em frente à minha mesa, com uma bandeja cheia de comida. O cabelo dela era castanho, comprido e ondulado, e ela usava uma camiseta marrom com um sinal de paz roxo estampado.

— Hum, não — respondi.

Ela pôs a bandeja na mesa, deixou a mochila no chão e se sentou na minha frente. Então começou a comer o macarrão com queijo que estava no prato.

— Argh — resmungou, depois de engolir a primeira garfada. — Eu devia ter trazido um sanduíche como você.

— É — falei, concordando.

— Aliás, meu nome é Summer. E o seu?

— August.

— Legal — disse ela.

— Summer! — Outra garota se aproximou da mesa carregando uma bandeja. — Por que você sentou aqui? Volte para a nossa mesa.

— Estava muito cheia — respondeu Summer. — Venha se sentar aqui. Tem mais espaço.

A outra garota pareceu um pouco confusa por um segundo. Notei que ela era uma daquelas meninas que eu havia flagrado olhando para mim, cochichando e escondendo a boca com as mãos. Summer também estava sentada lá antes.

— Deixa pra lá — disse a garota, afastando-se.

Summer olhou para mim, sorriu e deu de ombros, depois comeu outra garfada do macarrão.

— Ei, nossos nomes meio que combinam — falou enquanto mastigava. Acho que ela percebeu que eu não havia entendido. — Summer significa verão, e August é agosto. Em agosto é verão aqui — explicou ela, sorrindo e com os olhos arregalados, como se estivesse esperando até eu entender a piada.

— É mesmo — falei depois de um segundo.

— Esta pode ser a "mesa do verão" — disse ela. — Só quem tiver o nome relacionado ao verão vai poder se sentar aqui. Vamos ver... será que tem alguém chamado June ou July?

— Tem uma Maya — sugeri.

— Tecnicamente, maio ainda é primavera — argumentou Summer —, mas, se ela quiser se sentar aqui, poderemos abrir uma exceção. — Ela falou isso como se de fato já houvesse pensado em tudo. — Tem o Julian...

Não falei nada.

— Tem um garoto chamado Reid na minha turma de inglês — comentei.

— É, eu conheço o Reid. Mas por que o nome dele tem a ver com o verão? — perguntou ela.

— Não sei bem — respondi, encolhendo os ombros. — Só pensei... tipo, em uma rede balançando na beira da praia ou alguma coisa parecida.

— Tá, tudo bem. — Ela assentiu e pegou um caderno. — A Sra. Petosa também poderia se sentar aqui. O nome dela meio que me faz pensar em "pétala", que também me parece uma coisa de verão.

— Ela é minha professora da orientação — falei.

— E minha de matemática — respondeu Summer, fazendo uma careta.

Ela começou a anotar os nomes na penúltima página do caderno.

— Então, quem mais? — perguntou.

No fim do almoço, havíamos elaborado uma lista com os nomes de alunos e professores que poderiam se sentar à nossa mesa se quisessem. A maioria dos nomes não era de fato de verão, mas tinha alguma semelhança. Consegui até incluir o Jack Will, alegando que ele provavelmente gostava de ir à praia. A Summer achou que tudo bem.

— Mas, se alguém quiser se sentar conosco e não tiver um nome relacionado ao verão — disse ela, muito séria —, vamos deixar se a pessoa for legal, certo?

— Certo — concordei. — Mesmo que seja um nome de inverno.

— Fechado, então! — exclamou ela, fazendo o sinal de positivo com o polegar.

A Summer combinava com seu nome. Tinha a pele bronzeada e seus olhos eram verdes como uma folha.

De um a dez

Minha mãe sempre teve mania de me perguntar como alguma coisa foi em uma escala de um a dez. Começou depois da minha cirurgia no maxilar, quando eu não podia falar porque minha boca estava travada com arame. Os médicos retiraram um pedaço da minha bacia para pôr no meu queixo e deixá-lo com uma aparência mais normal, por isso eu sentia dor em vários lugares. Mamãe apontava para um dos curativos e eu erguia os dedos para mostrar quanto estava doendo. "Um" significava um pouquinho. "Dez" doía muito, muito, muito mesmo. Então, quando o médico fosse passar visita, ela lhe diria o que precisava ser ajustado ou coisas desse tipo. Às vezes ela era muito boa em ler minha mente.

Depois disso, passamos a fazer a escala de um a dez para tudo que doesse. Tipo, se eu tivesse uma simples dor de garganta, ela perguntava:

— De um a dez?

— Três — respondia eu, ou o que fosse.

Quando a aula acabou, saí da escola para encontrar a mamãe, que estava me esperando no portão como todos os outros pais e babás. A primeira coisa que ela me falou depois de me abraçar foi:

— Então, como foi? De um a dez?

— Cinco — respondi dando de ombros, o que, posso dizer, deixou a mamãe completamente surpresa.

— Uau! — exclamou. — Foi muito melhor do que eu esperava.

— Nós vamos buscar a Via?

— A mãe da Miranda vai buscá-la hoje. Quer que eu leve sua mochila, querido?

Tínhamos começado a caminhar por entre a multidão de pais e alunos, a maioria dos quais me observava, "discretamente" apontando para que os outros me vissem.

— Não precisa — falei.

— Parece pesada demais, Auggie.

61

Ela começou a tirar a mochila das minhas costas.

— Mãe! — reclamei, afastando a mochila de seu alcance e caminhando pela multidão na frente dela.

— Até amanhã, August! — falou a Summer, que caminhava na direção oposta.

— Tchau, Summer — respondi, acenando para ela.

Assim que atravessamos a rua e estávamos longe da multidão, mamãe perguntou:

— Quem era aquela, Auggie?

— É a Summer.

— Ela tem aula com você?

— Tenho muitas aulas diferentes.

— Ela faz *alguma* aula com você?

— Não.

Mamãe esperou que eu dissesse mais alguma coisa, mas eu não estava com vontade de conversar.

— Então foi tudo bem? — Eu sabia que ela estava com vontade de fazer um milhão de perguntas. — Todo mundo foi legal? Você gostou dos professores?

— Sim.

— E as crianças que você conheceu na semana passada? Elas foram simpáticas?

— Foram, sim. O Jack passou bastante tempo comigo.

— Que ótimo, querido. E aquele outro garoto, o Julian?

Pensei no comentário sobre o Darth Sidious. Parecia que tinha sido um século antes.

— Tudo bem — falei.

— E a menina loura? Qual era o nome dela?

— Charlotte. Mãe, já disse que todos foram legais.

— Tudo bem — respondeu ela.

Sinceramente, não sei por quê, mas eu estava meio zangado com a mamãe. Atravessamos a Amesfort Avenue, e ela não falou mais nada até chegarmos ao nosso quarteirão.

— Então — começou ela. — Como conheceu a Summer se ela não faz nenhuma aula com você?

— A gente sentou junto no almoço.

Eu tinha começado a chutar uma pedra de um pé para o outro, como se fosse uma bola de futebol, fazendo com que ela rolasse para lá e para cá na calçada.

— Ela parece muito legal.

— É, sim.

— E é muito bonita — comentou a mamãe.

— É, eu sei — respondi. — Nós somos meio que a Bela e a Fera.

Não esperei para ver a reação dela. Simplesmente comecei a correr pela calçada atrás da pedra, que eu havia chutado para a frente o mais forte que consegui.

Padawan

Naquela noite, cortei a trancinha na parte de trás do meu cabelo. O papai foi o primeiro a notar.

— Que bom — disse ele. — Nunca gostei daquilo.

A Via não conseguia acreditar que eu tinha cortado a trança.

— Levou anos para crescer — falou, quase como se estivesse zangada. — Por que você cortou?

— Não sei — respondi.

— Alguém zoou você?

— Não.

— Você contou ao Christopher que ia cortar?

— Nós nem somos mais amigos!

— Isso não é verdade — disse a minha irmã. — Não acredito que você cortou a trança, assim, sem mais nem menos — acrescentou, contrariada, e saiu do meu quarto, praticamente batendo a porta.

Eu estava aninhado com a Daisy na minha cama quando papai veio me botar para dormir. Ele chegou Daisy para o lado com delicadeza e se deitou comigo, em cima do cobertor.

— Então, Auggie Bobi, o dia correu bem mesmo?

Ele me chamava assim por causa de um desenho antigo de um cachorro *dachshund* que ele havia comprado para mim no eBay quando eu tinha uns quatro anos. Nós tínhamos assistido ao DVD muitas vezes, principalmente no hospital. O nome do desenho era *Bibo Pai e Bobi Filho*, por isso ele me chamava de Auggie Bobi. E eu o chamava de "meu querido e velho pai", como o personagem fazia.

— Sim, superbem — falei.

— Você passou a noite toda tão quieto...

— Acho que estou cansado.

— Foi um dia cheio, hein?

Fiz que sim.

— Mas correu tudo bem mesmo? — insistiu ele.

Assenti mais uma vez. Ele não disse nada, por isso, depois de alguns segundos, falei:

— Na verdade, tudo correu muito bem mesmo.

— Que ótimo ouvir isso, Auggie — disse ele baixinho, dando um beijo na minha testa. — Então parece que foi uma boa ideia, essa da mamãe, não foi? De você ir para a escola.

— Foi. Mas eu posso parar de ir se quiser, não é?

— Foi isso que combinamos — respondeu ele. — Mas acho que vai depender do seu motivo para desistir. Você terá que nos contar. Terá que conversar conosco e nos dizer como se sente e se alguma coisa ruim está acontecendo. Tudo bem? Promete que vai contar?

— Prometo.

— Então posso lhe fazer uma pergunta? Você está zangado com a mamãe? Você foi um pouco malcriado com ela a noite toda. Sabe, Auggie, sou tão culpado de mandar você para a escola quanto ela.

— Não. Ela é mais culpada. Foi ideia dela.

Mamãe bateu na porta bem nessa hora e colocou a cabeça para dentro do meu quarto.

— Só queria dar boa-noite — falou.

Por um instante, ela pareceu tímida.

— Oi, mamãezinha — falou meu pai, pegando minha mão e acenando para ela.

— Ouvi dizer que você cortou sua trança — comentou a mamãe, sentando na beirada da cama, ao lado da Daisy.

— Não foi nada de mais — respondi depressa.

— Não falei que era — retrucou ela.

— Por que você não põe o Auggie para dormir hoje? — sugeriu o papai, levantando-se. — Tenho mesmo que trabalhar um pouco. Boa noite, meu filho, meu filho. — Isso também era parte da rotina inspirada pelo desenho animado, embora eu não estivesse no clima para responder "Boa noite, meu querido e velho pai". — Estou muito orgulhoso de você — acrescentou ele.

Meus pais sempre se revezavam para me pôr para dormir. Sei que é um pouco infantil da minha parte ainda querer que eles fizessem isso, mas era assim que as coisas funcionavam com a gente.

— Você vai dar uma olhada na Via? — perguntou a mamãe ao papai enquanto se deitava ao meu lado.

Ele parou junto à porta e se virou.

— Algum problema com a Via?

— Nenhum — respondeu mamãe, dando de ombros. — Pelo menos, não que ela tenha me contado. Mas... primeiro dia do ensino médio e tudo o mais.

— Hum... — murmurou papai, então apontou para mim e piscou. — Sempre há um problema com vocês, crianças, não é?

— Nada de tédio — disse a mamãe.

— Nada de tédio — repetiu o papai. — Boa noite, pessoal.

Assim que ele fechou a porta, a mamãe pegou o livro que vinha lendo para mim nas últimas semanas. Fiquei aliviado: estava com muito medo de que ela quisesse "conversar", porque eu não estava a fim. Mas ela também não parecia querer papo. Simplesmente passou as páginas até chegar ao ponto em que havíamos parado. Estávamos perto da metade de O Hobbit.

— *"Parem! Parem!", gritou Thorin* — começou a mamãe, lendo em voz alta —; *mas era tarde demais: os anões, entusiasmados, tinham desperdiçado as últimas flechas, e agora os arcos que Beorn lhes tinha dado eram inúteis.*

"Naquela noite o grupo esteve tristonho, e a tristeza tornou-se ainda mais forte em seus corações nos dias seguintes. Tinham atravessado o rio encantado, mas, além dele, a trilha parecia continuar como antes, e na floresta não se via nenhuma mudança."

Não sei bem por quê, mas, de repente, comecei a chorar.

Mamãe abaixou o livro e me abraçou. Não parecia surpresa por eu estar chorando.

— Tudo bem — disse ela baixinho em meu ouvido. — Vai ficar tudo bem.

— Desculpe — falei, entre fungadelas.

— Shhh — sussurrou mamãe, limpando minhas lágrimas com as costas da mão. — Não tem por que se desculpar...

— Por que eu tenho que ser tão feio, mamãe? — murmurei.

— Não, querido, você não é feio...

— Eu sei que sou.

Ela beijou meu rosto todo. Beijou meus olhos, que eram muito caídos. Beijou minhas bochechas, que pareciam afundadas demais. Beijou minha boca de tartaruga.

Disse palavras gentis, que, eu sabia, eram para me ajudar, mas palavras não vão mudar meu rosto.

Acorde-me quando setembro acabar

O restante do mês de setembro foi difícil. Eu não estava acostumado a acordar tão cedo de manhã. Não estava acostumado com o conceito de dever de casa. E tive meu primeiro "teste oral" no final do mês. Eu nunca tinha feito um "teste oral" quando a mamãe me dava aulas. Também não gostava de não ter mais tempo livre. Antes, eu podia brincar quando quisesse, mas agora parecia que sempre tinha alguma tarefa a fazer para a escola.

E ficar lá era horrível no começo. Cada aula nova era uma nova oportunidade de as crianças "não olharem" para mim. Elas me espiavam por trás dos cadernos ou quando eu não estava olhando. Evitavam esbarrar em mim a qualquer custo, dando a volta e pegando o caminho mais longo, como se eu tivesse algum germe que elas pudessem pegar; como se meu rosto fosse contagioso.

Nos corredores lotados, meu rosto sempre surpreendia alguma criança desavisada que ainda não tivesse ouvido falar a meu respeito. Ela fazia o mesmo som que uma pessoa faz antes de mergulhar, uma espécie de "ah!". Isso acontecia quatro ou cinco vezes por dia nas primeiras semanas: nas escadas, em frente aos armários, na biblioteca. Quinhentas crianças em uma escola: todas elas acabariam vendo meu rosto em algum momento. E, depois dos primeiros dias, notei que eu tinha virado notícia, porque de vez em quando via uma criança cutucando o amigo enquanto passavam por mim, ou cochichando por trás da mão quando eu cruzava com elas. Posso imaginar o que diziam a meu respeito. Na verdade, não, prefiro nem tentar.

Não que elas fizessem por maldade. A propósito: nem sequer uma vez alguém riu, fez barulhos ou coisa do tipo. Estavam apenas sendo crianças bobas e normais. Sei disso. E meio que tinha vontade de dizer: "Tudo bem, sei que sou meio esquisito. Podem olhar, eu não mordo." A verdade é que, se de repente um Wookiee começasse a frequentar a escola, eu também ficaria curioso e provavelmente olharia um pouco para ele! E, se eu estivesse andando com o Jack ou com a Summer, talvez cochichasse: "Olhe ali o Wookiee." E, se o Wookiee me pegasse dizendo isso, ele saberia que não fiz por mal. Estava apenas apontando o fato de que ele era um Wookiee.

Levou mais ou menos uma semana para os alunos da minha turma se acostumarem com meu rosto. E eles eu via todos os dias, em todas as aulas. Para os outros alunos do quinto ano se habituarem, levou mais ou menos duas semanas. Esses eu via no refeitório, no recreio, na biblioteca e nas aulas de educação física, música e informática.

Para o restante dos alunos da escola, levou cerca de um mês. Era o pessoal dos outros anos. Alguns eram mais velhos. Tinham cortes de cabelo esquisitos. Outros tinham piercings no nariz ou espinhas. Nenhum se parecia comigo.

Jack Will

Eu sentava com o Jack nas aulas de orientação, inglês, história, informática, música e ciências — todas as matérias que fazíamos juntos. Os professores marcaram os lugares nas aulas e acabei sempre me sentando ao lado do Jack, então acho que ou os professores tinham sido orientados a fazer isso ou era uma coincidência incrível.

Eu também ia de uma aula para outra com o Jack. Sei que ele notava as crianças me olhando, mas fingia que não. Uma vez, porém, a caminho da aula de história, um aluno muito grande do oitavo ano estava voando pelas escadas, descendo dois degraus de cada vez, e acabou esbarrando em nós no pé da escada e me derrubando. Enquanto me ajudava a me levantar, ele deu uma olhada no meu rosto e, sem querer, soltou um: "Caramba!"

Depois deu uns tapinhas no meu ombro, como se estivesse me limpando, e foi atrás dos amigos. Por algum motivo, Jack e eu caímos na gargalhada.

— O garoto fez uma cara tão engraçada! — disse o Jack enquanto a gente se sentava.

— Fez mesmo — concordei. — Ele ficou, tipo, *caramba!*.

— Acho que ele até mijou nas calças!

Estávamos rindo tão alto que o professor, o Sr. Roche, teve que pedir que ficássemos quietos.

Mais tarde, depois que terminamos de ler sobre como os antigos sumérios construíam relógios de sol, o Jack sussurrou:

— Você às vezes não tem vontade de bater nesse pessoal?

— Acho que sim. Não sei — respondi, dando de ombros.

— Eu tenho. Acho que você podia ter um revólver de água ou algo assim e prendê-lo nos seus olhos de alguma forma. Então, toda vez que alguém ficasse olhando demais, você soltaria um esguicho na cara dele.

— Um jato de gosma verde ou sei lá — falei.

— Não, não: gosma de lesma misturada com xixi de cachorro — sugeriu o Jack.

— Isso!

Eu estava totalmente de acordo.

— Rapazes — disse o Sr. Roche do outro lado da sala. — Os outros ainda estão lendo.

Assentimos e voltamos a olhar para os nossos livros. Então o Jack murmurou:

— Você vai ser sempre assim, August? Quer dizer, você pode fazer plástica ou coisa do tipo?

Sorri e apontei para o meu rosto.

— Oi? Isso é *depois* da plástica!

Jack bateu na própria testa e começou a rir histericamente.

— Cara, você devia processar seu médico — falou, em meio à gargalhada.

Dessa vez ríamos tanto que não conseguimos parar nem depois que o Sr. Roche se aproximou e nos fez trocar de lugar com quem estava do lado.

O preceito do Sr. Browne de outubro

Nesse mês, o preceito do Sr. Browne foi:

SEUS FEITOS SÃO SEUS MONUMENTOS.

Ele nos disse que isso estava escrito na tumba de algum egípcio que morreu há milhares de anos. Como estávamos prestes a começar a estudar o Egito Antigo em história, o Sr. Browne achou que seria uma boa escolha como preceito.

Nosso dever de casa era escrever um parágrafo sobre o que achávamos que aquilo significava ou qual era a nossa opinião a respeito. Eu escrevi:

> *Esse preceito significa que deveríamos ser lembrados pelas coisas que fazemos. Elas importam mais do que tudo. Mais do que aquilo que dizemos ou do que nossa aparência. As coisas que fazemos sobrevivem a nós. São como os monumentos que as pessoas erguem em honra dos heróis depois que eles morrem. Como as pirâmides que os egípcios construíam para homenagear os faraós. Só que, em vez de pedra, são feitas das lembranças que as pessoas têm de você. Por isso nossos feitos são nossos monumentos. Construídos com memórias em vez de pedra.*

Maçãs

Meu aniversário é no dia dez de outubro. Gosto da data: 10/10. Seria bem bacana se eu tivesse nascido exatamente às 10h10 da manhã ou da noite, mas não. Nasci logo depois da meia-noite. Ainda assim acho meu aniversário legal.

Em geral fazemos uma festinha em casa, mas este ano perguntei à mamãe se eu poderia ter uma grande festa no boliche. Ela ficou surpresa, mas feliz. Perguntou quem eu queria convidar da escola, e eu disse que queria chamar todos da turma de orientação e a Summer.

— São muitas pessoas, Auggie — disse a mamãe.

— Tenho que convidar todo mundo porque não quero que ninguém fique triste se souber que os outros foram convidados menos ele, ok?

— Tudo bem — concordou ela. — Quer convidar até aquele garoto?

— Quero, pode convidar o Julian — respondi. — Meu Deus, mãe. Esquece isso.

— Eu sei, tem razão.

Algumas semanas depois, perguntei à mamãe quem ia à festa e ela disse:

— Jack Will, Summer, Reid Kingsley. Os dois Max. E algumas outras crianças disseram que tentariam ir.

— Tipo quem?

— A mãe da Charlotte disse que ela tem uma apresentação de dança no mesmo dia mais cedo, mas que tentaria ir se desse tempo. E a mãe do Tristan disse que ele talvez vá depois do futebol.

— Então é isso? — falei. — São tipo... cinco pessoas.

— São mais que cinco pessoas, Auggie. Acho que muita gente simplesmente já tinha outros planos.

Estávamos na cozinha. Ela estava cortando uma das maçãs que tínhamos acabado de comprar no mercado em pedaços pequenos para que eu pudesse comer.

— Que tipo de planos? — perguntei.

— Não sei, Auggie. Mandamos os convites um pouco tarde.

— Mas o que eles disseram? Quais foram as explicações?

— Cada um tinha um motivo diferente, Auggie. — Ela pareceu um pouco impaciente. — Na verdade, querido, não importam os motivos. As pessoas tinham outros planos, só isso.

— Qual foi o motivo do Julian? — perguntei.

— Sabe — falou a mamãe —, a mãe dele foi a única que não se deu o trabalho de responder. — Ela olhou para mim. — Acho que uma maçã nunca cai longe do pé.

Eu ri, porque achei que ela estivesse fazendo uma piada, mas então percebi que não.

— O que isso quer dizer? — perguntei.

— Deixa pra lá. Agora vá lavar as mãos para comer.

Minha festa de aniversário acabou sendo bem menor do que eu tinha imaginado, mas mesmo assim foi ótima. Da escola, foram Jack, Summer, Reid, Tristan e os dois Max. Christopher também veio de Bridgeport com os pais. E o tio Ben. E a tia Kate e o tio Po, que vieram de Boston, embora a vovó e o vovô estivessem passando o inverno na Flórida. Foi divertido porque todos os adultos acabaram jogando boliche na pista ao lado da nossa, então pareceu que realmente havia muitas pessoas lá para comemorar o meu aniversário.

Halloween

No almoço do dia seguinte, a Summer perguntou de que eu iria me fantasiar no Halloween. É claro que eu estava pensando nisso desde o último Dia das Bruxas, então já sabia o que responder:

— Boba Fett.

— Você sabe que pode vir para a escola fantasiado no Halloween, não é?

— Mentira. Jura?

— Desde que seja uma fantasia politicamente correta.

— Como assim? Sem armas e essas coisas?

— Isso mesmo.

— E *blasters*?

— Acho que uma *blaster* é um tipo de arma, Auggie.

— Ah, droga... — falei triste, balançando a cabeça, porque Boba Fett tem uma.

— Pelo menos não somos mais obrigados a vir vestidos como personagens de livros. No ensino fundamental I era assim. Ano passado me fantasiei de Bruxa do Oeste, de *O Mágico de Oz*.

— Mas isso é um filme, não um livro.

— Oi? — disse a Summer. — Era um livro primeiro! Um dos meus livros favoritos, na verdade. Meu pai costumava ler a história para mim todas as noites quando eu estava no primeiro ano.

Quando a Summer fala, principalmente se está animada com alguma coisa, seus olhos se estreitam, como se ela estivesse olhando direto para o sol.

Quase não a vejo durante o dia, pois só estudamos juntos na aula de inglês. Mas desde aquele primeiro almoço na escola, nós nos sentamos juntos todos os dias, só os dois.

— Então, de que você vai se vestir? — perguntei a ela.

— Ainda não decidi. Sei o que eu queria usar, mas acho que seria muito bobo. Sabe, a Savanna e as amigas nem vão usar fantasia este ano. Acham que a gente já é velho demais para o Halloween.

— O quê? Que coisa mais idiota.

— Não é?

— Achei que você não ligasse para o que aquelas garotas pensam.

Ela deu de ombros e tomou um grande gole de leite.

— Então, de que coisa boba você quer se vestir? — perguntei, sorrindo.

— Promete que não vai rir? — Ela ergueu as sobrancelhas e encolheu os ombros, constrangida. — De unicórnio.

Sorri e baixei os olhos para o meu sanduíche.

— Ei, você prometeu que não ia rir! — disse ela, rindo.

— Certo, certo — falei. — Mas você tem razão: é bem bobo.

— Eu sei! Mas já pensei em tudo: faria a cabeça de papel machê, pintaria o chifre de dourado e faria uma crina dourada, também... Ia ficar tão incrível!

— Tudo bem — falei, dando de ombros. — Então você tem que fazer. Quem se importa com o que os outros pensam, afinal?

— Talvez eu só use a fantasia no desfile de Halloween — disse ela, estalando os dedos. — E, para a escola, posso me vestir de, sei lá, gótica. Sim, é isso. É o que vou fazer.

— Parece um bom plano — falei, assentindo.

— Obrigada, Auggie. — Ela deu uma risadinha. — Sabe, isso é o que mais gosto em você. Parece que posso lhe contar qualquer coisa.

— É? — Ergui o polegar para ela. — Maneiro!

Fotos de escola

Acho que ninguém vai ficar surpreso ao saber que eu não queria tirar fotos na escola no dia vinte e dois de outubro. De jeito nenhum. Não, obrigado. Parei de sair em fotos há muito tempo. Acho que se poderia dizer que tenho fobia. Não, na verdade não é fobia. É "aversão", uma palavra que acabei de aprender na aula do Sr. Browne. Tenho aversão a que tirem fotos minhas. Pronto, usei a palavra em uma frase.

Achei que a mamãe fosse tentar me persuadir a deixar a aversão de lado e tirar a foto para a escola, mas não. Infelizmente, apesar de ter evitado a foto só minha, não pude ficar de fora da foto da turma. Argh. Parecia que o fotógrafo tinha acabado de chupar um limão quando me viu. Tenho certeza de que ele achou que estraguei a foto. Eu era um dos alunos sentados na frente. Não sorri — não que alguém fosse notar se eu sorrisse.

O toque do queijo

Não muito tempo atrás, percebi que, embora as pessoas estivessem se acostumando comigo, ninguém encostava em mim. Demorei um pouco para notar porque os alunos não ficam encostando uns nos outros o tempo todo mesmo. Mas, na última quinta-feira, na aula de dança, a Sra. Atanabi, a professora, tentou fazer com que Ximena Chin dançasse comigo. Olha, eu nunca tinha visto alguém ter um "ataque de pânico" de verdade, mas já tinha ouvido falar, e tenho quase certeza de que foi isso que a Ximena teve. Ela ficou muito nervosa, pálida e começou a suar, depois deu uma desculpa esfarrapada sobre precisar muito ir ao banheiro. De todo modo, a Sra. Atanabi salvou a pele dela, porque acabou não fazendo ninguém dançar junto.

Ontem, na eletiva de ciências, estávamos fazendo uma tarefa muito legal usando pós misteriosos e classificando as substâncias como ácidas ou básicas. A gente tinha que esquentar os pós misteriosos em uma chapa calefatora e fazer notas, então todos os alunos estavam reunidos ali em volta, cada um com seu caderno. São oito alunos na turma: sete estavam espremidos de um lado da chapa, enquanto o outro — eu — tinha muito espaço do outro lado. É claro que eu percebi, mas torci para que a Sra. Rubin não notasse, porque não queria que ela dissesse nada. Mas é claro que ela também notou, e é claro que falou alguma coisa.

— Pessoal, tem muito espaço do outro lado. Tristan, Nino, passem para lá — ordenou.

Então o Tristan e o Nino foram para o meu lado. Os dois são sempre "legais" comigo. Quero deixar isso claro. Não superlegais, de andarem sempre comigo, mas legais: eles me cumprimentam e conversamos de um jeito normal. E não fizeram careta quando a Sra. Rubin os mandou ir para perto de mim, algo que muitas crianças fazem quando acham que não estou olhando. De todo modo, tudo estava indo bem até que o pó misterioso do Tristan começou a derreter. Ele tirou a lâmina da chapa no mesmo momento em que o meu pó começou a derreter. Aí fui tirar a minha lâmina também, e minha mão esbarrou na dele sem querer, por uma fração de segundo. Tristan afastou a mão tão depressa que derrubou sua lâmina no chão e, ao mesmo tempo, fez todas as outras caírem da chapa calefatora.

— Tristan! — gritou a Sra. Rubin, mas ele nem se importou de ter derrubado o pó e arruinado toda a experiência; estava mais preocupado em ir à pia do laboratório lavar as mãos o mais rápido possível.

Foi quando tive certeza de que na Beecher Prep havia um mito sobre encostar em mim.

Acho que é como o Toque do Queijo, do livro *Diário de um banana*. As crianças tinham medo de encostar em uma fatia de queijo mofado na quadra de basquete. Na minha escola, eu sou o queijo mofado.

Fantasias

Para mim, o Halloween é a melhor festa do mundo. Melhor até que o Natal. Posso usar fantasia. Usar máscara. Posso andar por aí como qualquer outra criança fantasiada e ninguém me acha estranho. Ninguém olha para mim duas vezes. Ninguém me nota. Ninguém me reconhece.

Eu gostaria que todos os dias fossem Halloween. Poderíamos ficar mascarados o tempo todo. Então andaríamos por aí e conheceríamos as pessoas antes de saber como elas são sem máscara.

Quando eu era pequeno, usava um capacete de astronauta aonde quer que fosse. No parquinho, no supermercado, na hora de buscar a Via na escola. Mesmo em pleno verão, embora fosse tão quente que meu rosto suava. Acho que o usei por alguns anos, mas tive que parar quando fiz a cirurgia nos olhos. Tinha uns sete anos, acho. E depois disso não encontramos mais o capacete. A mamãe procurou em tudo que era lugar. Ela achava que provavelmente ele tinha ido parar no sótão da vovó, e pretendia continuar procurando, mas aí eu já estava acostumado a não usá-lo.

Tenho fotos com todas as minhas fantasias de Halloween. A primeira foi de abóbora. A segunda, de Tigrão. A terceira foi de Peter Pan (o papai se vestiu de Capitão Gancho). Na quarta vez me vesti de Capitão Gancho (o papai estava de Peter Pan). Na quinta fui um astronauta. A sexta fantasia foi de Obi-Wan Kenobi. A sétima foi de *storm trooper*. A oitava foi de Darth Vader. No nono Halloween usei uma máscara como a do filme *Pânico*, suja com sangue falso.

Este ano vou me vestir de Boba Fett. Não o garoto de *Star Wars Episódio II: O ataque dos clones*, mas o Boba Fett adulto, de *Star Wars Episódio V: O império contra-ataca*. Minha mãe procurou a fantasia em todos os lugares, mas não encontrou nenhuma do meu tamanho, então comprou uma roupa de Jango Fett — já que o Jango é pai do Boba e usa a mesma armadura — e então a pintou de verde. Também fez algumas coisas para ela parecer gasta. Enfim, ficou muito realista. A mamãe é boa com fantasias.

Na aula de orientação todos conversamos sobre nossas fantasias de Halloween. Charlotte vai ser Hermione, de *Harry Potter*. Jack, um lobisomem. Julian ia se vestir de Jango Fett, o que era uma coincidência estranha. Acho que ele não gostou de saber que eu ia me fantasiar de Boba Fett.

Na manhã do Halloween, por algum motivo a Via teve um grande acesso de choro. Ela costumava ser muito calma e controlada, mas esse ano tem tido algumas explosões desse tipo. O papai estava atrasado para o trabalho e ficou meio que dizendo: "Via, vamos logo! Vamos logo!"

Normalmente o papai é superpaciente, mas não quando pode se atrasar para o trabalho, e seus gritos só deixaram Via ainda mais estressada. Ela começou a gritar mais alto, então a mamãe disse ao papai que me levasse para a escola e que ela cuidaria da Via. Mamãe me deu um beijo de despedida rápido, antes mesmo de eu vestir a fantasia, e desapareceu no quarto da minha irmã.

— Auggie, vamos agora! — disse o papai. — Tenho uma reunião e não posso me atrasar!

— Ainda não coloquei a fantasia!

— Então ponha logo. Cinco minutos. Espero você lá fora.

Corri para o meu quarto e comecei a vestir a roupa de Boba Fett, mas de repente perdi a vontade de usá-la. Não sei por quê — talvez porque tivesse todos aqueles cintos e eu precisasse de alguém que os ajustasse para mim. Ou talvez porque ainda cheirasse um pouco a tinta. Tudo o que sei é que daria muito trabalho vestir a fantasia, o papai estava esperando e ia ficar muito nervoso se eu o atrasasse. Então, no último minuto, coloquei a máscara ensanguentada do ano anterior. Era uma fantasia muito mais fácil: só uma túnica preta comprida e uma grande máscara branca. Gritei tchau da porta quando saí, mas a mamãe nem me ouviu.

— Achei que você ia de Jango Fett — disse o papai quando me viu do lado de fora.

— Boba Fett!

— Tanto faz. Essa fantasia é melhor, de qualquer forma.

— É, é legal — respondi.

A máscara ensanguentada

Preciso dizer que, naquela manhã, andar pelos corredores a caminho dos armários foi incrível. Tudo estava diferente. Eu estava diferente. Normalmente eu andava de cabeça baixa, tentando não ser visto, mas nesse dia andei de cabeça erguida, olhando em volta. Queria ser visto. Um aluno usando uma fantasia igual à minha, uma grande máscara branca de um crânio gritando, suja de sangue falso, trocou um *high-five* comigo quando nos cruzamos na escada. Não tenho ideia de quem era, nem ele que era eu por baixo da máscara. Perguntei-me por um segundo se ele teria feito aquilo se soubesse.

Eu estava começando a pensar que aquele seria um dos dias mais incríveis da minha vida, mas então cheguei à sala de aula. A primeira fantasia que vi assim que entrei foi um Darth Sidious. Tinha uma daquelas máscaras de borracha super-realistas, com um grande capuz preto na cabeça e uma túnica preta e comprida. Soube na hora que era o Julian, é claro. Devia ter mudado a fantasia no último minuto porque achava que eu fosse de Boba Fett. Ele estava conversando com duas múmias, que deviam ser Miles e Henry, e todos meio que olhavam para a porta, como se esperassem alguém entrar. Eu sabia que não era uma máscara ensanguentada que eles estavam esperando. Era o Boba Fett.

Eu já ia me sentar na carteira de sempre, mas, por algum motivo, não sei qual, me peguei andando até um assento perto deles e consegui ouvir o que diziam.

— Parece mesmo ele — falou uma das múmias.

— Ainda mais essa parte... — respondeu a voz de Julian.

Ele pôs os dedos nas bochechas e nos olhos da máscara de Darth Sidious.

— Na verdade — disse a múmia —, o que ele lembra mesmo é uma daquelas cabeças encolhidas. Já viram? É igualzinho.

— Acho que ele parece um ogro.

— É!

— Se eu fosse daquele jeito — disse o Julian, meio rindo —, juro por Deus, eu ia colocar um capuz na minha cara todos os dias.

— Pensei muito sobre isso — falou a segunda múmia, séria — e acho que, se eu fosse como ele... sem brincadeira, acho que ia me matar.

— Não ia nada — retrucou Darth Sidious.

— Sério, de verdade — insistiu a mesma múmia. — Não consigo nem imaginar me olhar no espelho todo dia e me ver daquele jeito. Seria ruim demais. E todo mundo me encarando o tempo todo...

— Então por que você fica tanto tempo com ele? — perguntou Darth Sidious.

— Não sei — respondeu a múmia. — O Buzanfa me pediu para andar com ele no início do ano e deve ter orientado todos os professores a nos colocar juntos nas aulas ou algo assim. — A múmia encolheu os ombros.

Claro que reconheci o gesto. Reconheci a voz. Tive vontade de sair correndo da sala na mesma hora, mas fiquei onde estava e ouvi o Jack Will terminar sua fala:

— Quer dizer, o problema é que ele me segue por todo lado. O que eu vou fazer?

— Dê o fora nele — sugeriu Julian.

Não sei o que Jack respondeu porque saí da sala sem que ninguém percebesse que eu tinha estado ali. Meu rosto parecia estar em chamas enquanto eu descia as escadas. Estava suando por baixo da fantasia. E comecei a chorar. Não pude evitar. As lágrimas eram tão grandes que eu quase não conseguia enxergar, mas não dava para secá-las por causa da máscara. Estava procurando um espacinho onde eu pudesse desaparecer. Queria poder cair em um buraco: um pequeno buraco negro que me engolisse.

83

Apelidos

Garoto rato. Estranho. Monstro. Freddy Krueger. E.T. Cara de lagarto. Mutante. Conheço os apelidos que me dão. Já estive em parquinhos suficientes para saber que crianças podem ser cruéis. Eu sei, eu sei, eu sei.

Acabei no banheiro do segundo andar. Não havia ninguém lá, porque o primeiro tempo já tinha começado e todos estavam nas salas de aula. Tranquei a porta da cabine, tirei a máscara e chorei por nem sei quanto tempo. Depois fui para a enfermaria e falei que estava com dor de estômago, o que era verdade, porque parecia que alguém tinha arrancado minhas entranhas. A enfermeira Molly ligou para a minha mãe e me deixou deitado no sofá ao lado de sua mesa. Quinze minutos depois, a mamãe estava na enfermaria.

— Docinho — falou, chegando perto para me abraçar.

— Oi — murmurei.

Não queria que ela perguntasse nada até que aquilo passasse.

— Está com dor de estômago? — disse ela, automaticamente pondo a mão na minha testa para checar a temperatura.

— Ele disse que estava com vontade de vomitar — contou a enfermeira Molly, olhando para mim de um jeito muito gentil.

— E estou com dor de cabeça também — sussurrei.

— Será que foi algo que comeu? — indagou minha mãe, preocupada.

— Tem um surto de gastroenterite por aí — disse a enfermeira.

— Que droga. — Mamãe balançou a cabeça e arqueou as sobrancelhas. Ela me ajudou a ficar de pé. — Quer que eu chame um táxi ou acha que consegue andar até em casa?

— Consigo andar.

— Que menino corajoso! — disse a enfermeira, dando tapinhas nas minhas costas enquanto nos acompanhava até a porta. — Se ele começar a vomitar ou tiver febre, você deve chamar um médico.

— Com certeza — falou a mamãe, apertando a mão da enfermeira. — Muito obrigada por tomar conta dele.

— Foi um prazer — respondeu a Molly, pondo a mão debaixo do meu queixo e levantando meu rosto. — Se cuida, tá?

Assenti e murmurei:

— Obrigado.

Mamãe e eu percorremos todo o caminho até em casa abraçados. Não lhe disse nada sobre o que havia acontecido e, mais tarde, quando ela me perguntou se eu estava bem para ir à rua pegar doces, falei que não. Ela ficou preocupada, pois sabia que eu adorava fazer isso. Eu a ouvi dizer ao papai pelo telefone:

— ...Ele não tem ânimo nem para ir pegar doces... Não, não teve febre... Bem, farei isso se ele não se sentir melhor amanhã... Eu sei, coitadinho... Imagine só, perder o Halloween.

Escapei de ir à escola no dia seguinte também, que era uma sexta-feira, então tive o fim de semana inteiro para pensar naquilo tudo. Eu tinha certeza de que nunca mais voltaria à escola.

Parte dois

Bem lá do alto

O planeta Terra é azul

E não há nada que eu possa fazer

— David Bowie, "Space Oddity"

Uma mudança na galáxia

August é o Sol. Eu, minha mãe e meu pai giramos em volta dele. O restante de nossa família e de nossos amigos são asteroides e cometas flutuando ao redor dos planetas que orbitam o Sol. O único corpo celestial que não gira em volta de August, o Sol, é Daisy, nossa cadela, e isso porque, para seus olhinhos caninos, o rosto do August não é muito diferente do rosto de qualquer outro ser humano. Para Daisy, todos os rostos são parecidos, chatos e pálidos como a Lua.

Estou acostumada ao modo como esse universo funciona. Nunca me importei porque sempre foi assim. Sempre entendi que August é especial e tem necessidades especiais. Se eu estivesse brincando e fizesse muito barulho enquanto ele tentava tirar um cochilo, sabia que tinha que brincar de outra coisa, porque ele precisava descansar depois de algum procedimento que o deixara fraco e com dor. Se quisesse que meus pais assistissem ao meu jogo de futebol, sabia que nove em cada dez vezes eles não poderiam ir, porque estariam ocupados levando August ao fonoaudiólogo, à fisioterapia, a um novo especialista ou a uma cirurgia.

Meus pais sempre disseram que eu era a menininha mais compreensiva do mundo. Mas a questão é que eu apenas entendia que reclamar não adiantaria nada. Eu vi August depois das cirurgias: seu rostinho inchado e enfaixado, seu corpinho cheio de cateteres e tubos para mantê-lo vivo. Depois que você vê alguém passando por isso, parece loucura reclamar por não ter ganhado o brinquedo que pediu ou porque sua mãe perdeu a peça da escola. Aprendi isso aos seis anos. Ninguém nunca me disse. Eu simplesmente soube.

Então me acostumei a não reclamar e a não incomodar meus pais com coisas sem importância. Aprendi a resolver tudo sozinha: arrumar os brinquedos, organizar a vida para não perder as festas de aniversário dos meus amigos, ficar sempre em dia com os trabalhos de casa para não ter problemas na escola. Nunca pedi ajuda com o dever de casa. Nunca precisei que me lembrassem de terminar um trabalho ou de estudar para um teste. Se eu tivesse dificuldade com alguma matéria, ia para casa e estudava até entender. Aprendi a converter frações em decimais na internet. Fiz todos os projetos da escola praticamente sozinha. Quando meus pais perguntavam como tudo estava indo, eu sempre dizia "bem" — mesmo quando não estava tão bem assim. Meu pior dia, o pior tombo, a pior dor de cabeça, o pior machucado, a pior câimbra, o pior xingamento não são nada comparados ao que August já passou. A propósito, não estou tentando ser nobre: simplesmente sei que é assim.

E é assim que as coisas sempre foram para mim, nesse nosso pequeno universo. Mas este ano parece que houve uma mudança no cosmos. A galáxia está mudando. Os planetas estão saindo de alinhamento.

Antes do August

Sinceramente, não me lembro da minha vida antes de August. Vejo nas fotos de quando eu era bebê meus pais sorrindo muito felizes me segurando. Não dá para acreditar em como pareciam jovens: o papai era meio *hipster* e a mamãe era uma linda fashionista brasileira. Há uma foto minha no meu terceiro aniversário: ele está bem atrás de mim e ela segura um bolo com três velas acesas e, atrás de nós, estão meus quatro avós, o tio Ben, a tia Kate e o tio Po. Todos me olhando e eu olhando para o bolo. Na foto dá para ver que eu era mesmo a primeira filha, primeira neta, primeira sobrinha. É óbvio que não me lembro de como era isso, mas posso ver pelas fotografias.

Não me lembro do dia em que trouxeram o August do hospital para casa, nem do que eu disse, fiz ou senti quando o vi pela primeira vez, embora todos tenham uma história sobre isso. Aparentemente, eu apenas olhei para ele por muito tempo e, por fim, disse: "Ele não se parece com a Lilly!"

Esse era o nome da boneca que minha avó me deu quando a mamãe estava grávida, para que eu pudesse "treinar" ser a irmã mais velha. Era uma daquelas bonecas super-realistas, e eu a carreguei para todos os lados durante meses, trocando fraldas e a alimentando. Dizem que até fiz um sling para ela. A história conta que, depois da minha reação inicial a August, levei apenas alguns minutos (de acordo com vovó) ou alguns dias (segundo mamãe) para me render a ele: eu o beijava, acariciava e falava com ele como as pessoas falam com os bebês. Depois disso nunca voltei a brincar com a Lilly nem a falar dela.

Vendo August

Nunca vi o August como as outras pessoas o viam. Eu sabia que seu rosto não era exatamente normal, mas não entendia por que as pessoas que não nos conheciam pareciam tão chocadas ao vê-lo. Horrorizadas. Enojadas. Assustadas. Há muitas palavras para descrever o olhar delas. E por muito tempo não entendi. Ficava louca: louca quando ficavam olhando, louca quando desviavam o olhar.

"Estão olhando o quê, droga?", eu dizia às pessoas, mesmo aos adultos.

Então, quando eu tinha uns onze anos, fui passar quatro semanas em Montauk com a vovó enquanto o August fazia uma grande cirurgia no maxilar. Esse foi o maior período que já fiquei longe de casa, e tenho que dizer que foi maravilhoso, de repente me ver livre de todas as coisas que me deixavam tão irritada. Ninguém olhava para a vovó e para mim quando íamos fazer compras na cidade. Ninguém apontava para nós. Ninguém nem sequer nos notava.

A vovó era daquele tipo que faz tudo pelos netos. Ela mergulharia no mar se eu pedisse, mesmo se estivesse usando roupas caras. Ela me deixava brincar com sua maquiagem e não se importava se eu a usasse no rosto dela para treinar minhas habilidades de maquiadora. Ela me levava para tomar sorvete, mesmo se ainda não tivéssemos jantado. E desenhava cavalos com giz na calçada em frente à sua casa. Certa noite, enquanto voltávamos da cidade, falei que gostaria de poder morar com ela para sempre. Eu estava tão feliz lá! Acho que foram os melhores dias da minha vida.

Voltar para casa depois de quatro semanas foi muito estranho no começo. Lembro-me muito vividamente de cruzar a porta e ver August vir correndo para me dar as boas-vindas, e de por uma fração de segundo enxergá-lo não do jeito como sempre tinha enxergado, mas como as outras pessoas o viam. Foi apenas um *flash*, um instante enquanto ele me abraçava, completamente feliz por eu estar em casa, mas fiquei surpresa porque eu nunca o tinha encarado daquele jeito. E nunca sentira aquilo: algo que na mesma hora fez com que eu me odiasse. Enquanto ele me beijava com todo carinho, tudo o que eu conseguia notar era a baba escorrendo por seu queixo. E, de repente, ali estava eu, como todas aquelas pessoas que ficavam olhando fixamente para ele ou desviavam o olhar.

Horrorizada. Enojada. Assustada.

Ainda bem que só durou um segundo: no momento em que ouvi a risadinha estridente de August, tudo acabou. Tudo voltou a ser como antes. Mas aquilo tinha aberto uma porta. Um pequeno olho mágico. E do outro lado havia dois Augusts: o que eu enxergava cegamente e o que as outras pessoas viam.

Acho que a única pessoa do mundo a quem eu poderia ter contado isso era a vovó, mas não contei. Era muito complicado para explicar ao telefone. Pensei que talvez, quando ela viesse para o Dia de Ação de Graças, eu pudesse lhe dizer como tinha me sentido. Mas apenas dois meses depois de eu ter ficado com ela em Montauk, minha linda avó morreu. Foi de repente. Parece que ela foi ao hospital porque estava sentindo enjoos. Mamãe e eu fomos vê-la, mas a viagem dura três horas e, quando chegamos lá, vovó já tinha partido. Um ataque cardíaco, disseram. Simples assim.

É muito estranho como um dia você pode estar neste mundo e, no dia seguinte, não estar mais. Para onde ela foi? Será que vou mesmo vê-la de novo ou isso é só historinha?

Todos veem nos filmes e nos programas de TV que as pessoas recebem notícias terríveis em hospitais, mas, para nós, com todas as nossas idas ao hospital com o August, os resultados sempre foram bons. O que mais me lembro do dia em que vovó morreu é de ver minha mãe literalmente se encolhendo no chão, em câmera lenta, soluçando com os braços em volta da barriga, como se alguém tivesse lhe dado um soco. Nunca, nunca mesmo, eu a tinha visto daquele jeito. Mesmo em todas as cirurgias do August, mamãe sempre foi a coragem em pessoa.

No meu último dia em Montauk, vovó e eu assistimos ao sol se pondo na praia. Tínhamos levado um cobertor para nos sentarmos, mas fez frio, então nos enrolamos nele, aconchegadas uma à outra, e ficamos conversando até que não houvesse mais nenhuma pontinha de sol acima do mar. Então vovó disse que tinha um segredo para me contar: ela me amava mais que a qualquer outra pessoa no mundo.

— Até o August? — perguntei.

Ela sorriu e acariciou meu cabelo, como se estivesse pensando no que dizer.

— Amo muito, muito o August — disse ela, baixinho. Ainda me lembro de seu sotaque, ela era brasileira e carregava nos erres. — Mas já tem muitos anjos cuidando dele, Via. E quero que você saiba que *eu* estou olhando por *você*. Certo, menina querida? Quero que saiba que você é o que mais me importa. Você é meu... — Ela olhou para o mar e abriu os braços, como se tentasse aplainar as ondas. — Você é tudo para mim. Entendeu, Via? Você é meu tudo.

Eu entendi. E compreendi também por que ela disse que aquilo era segredo. Avós não deveriam ter favoritos. Todos sabem disso. Mas, depois que ela morreu, agarrei-me a esse segredo e deixei que ele me cobrisse como um cobertor.

August pelo olho mágico

Os olhos dele ficam cerca de dois centímetros abaixo de onde deveriam, quase no meio das bochechas. São caídos, formando um ângulo acentuado, quase como se alguém tivesse aberto duas fendas diagonais em seu rosto, e o esquerdo é claramente mais baixo que o direito. E são esbugalhados, porque as cavidades oculares são pequenas demais para comportá-los. As pálpebras superiores ficam sempre meio fechadas, como se ele estivesse adormecendo. As inferiores são tão caídas que até parece que um fio invisível as puxa para baixo: dá para ver a parte interna, vermelha, como se a pele estivesse do avesso. Ele não tem sobrancelhas nem cílios. O nariz é desproporcionalmente grande para o rosto, e meio largo. A cabeça dele é afundada nas laterais, no lugar onde deveriam estar as orelhas, como se alguém a tivesse apertado bem no meio com um alicate gigante. Ele não tem maçãs do rosto. Dois vincos profundos descem dos cantos do nariz até a boca, o que dá a ele a aparência de um boneco de cera. Às vezes as pessoas acham que ele se queimou em um incêndio: seus traços dão a impressão de que ele derreteu, como os pingos em volta de uma vela. Diversas cirurgias para corrigir o palato deixaram algumas cicatrizes em volta da boca e a mais chamativa é um corte irregular que vai do meio do lábio superior até o nariz. Os dentes de cima são pequenos e para fora. Ele é bem dentuço e a mandíbula é extremamente pequena, assim como o queixo. Quando era menor, antes da cirurgia que implantou um pedaço de seu quadril no maxilar, ele não tinha queixo nenhum. A língua ficava pendurada fora da boca, sem nada embaixo para segurá-la. Felizmente, está melhor agora. Pelo menos ele pode comer: quando era mais novo, se alimentava por uma sonda. E ele consegue falar. Aprendeu a manter a língua dentro da boca, embora tenha levado muitos anos para controlar isso. Ele também aprendeu a controlar a baba que escorria pelo pescoço. Essas coisas são consideradas milagres. Quando ele era bebê, os médicos não achavam nem que ele fosse sobreviver.

Ele também consegue ouvir. Na maioria das vezes, as crianças que nascem com essas deformidades têm problemas no ouvido médio, o que causa deficiência auditiva. Mas, até agora, August escuta bastante bem com suas orelhas em formato de couve-flor. No entanto, os médicos acham que ele vai acabar precisando de aparelhos auditivos. August odeia pensar nisso. Ele acha que todo mundo vai notar os aparelhos. É claro que eu não disse que esse seria o menor de seus problemas, porque tenho certeza de que ele sabe disso.

Mas, novamente, não estou tão certa sobre o que o August sabe ou não sabe, o que ele entende ou não.

Será que ele percebe como as outras pessoas o enxergam? Ou ficou tão bom em fingir não notar que isso não o incomoda mais? Ou será que incomoda? Quando ele se olha no espelho, vê o August que meus pais enxergam ou o que todos os outros veem? Ou será que há outro August que só ele vê, alguém em seus sonhos, além da cabeça e do rosto deformados? Às vezes, quando eu olhava para a vovó, podia ver, por baixo de suas rugas, a garota bonita que ela havia sido. Podia ver a garota de Ipanema naquele caminhar de velhinha. Será que o August vê como ele teria sido sem aquele único gene que causou a catástrofe em seu rosto?

Gostaria de poder lhe perguntar essas coisas. Gostaria que ele me dissesse como se sente. Era mais fácil ler suas expressões antes das cirurgias. Sabíamos que, quando os olhos dele se estreitavam, ele estava feliz. Quando sua boca ficava reta, ele estava aprontando alguma. Quando suas bochechas tremiam, ele estava prestes a chorar. A aparência dele está melhor agora, isso é indiscutível, mas os sinais que usávamos para avaliar seu humor foram todos embora. Há sinais novos, é claro. Meus pais conseguem entender cada um deles. Mas estou tendo dificuldade, e parte de mim não quer continuar tentando: por que ele não pode simplesmente dizer o que está sentindo como todo mundo? Ele não tem mais um tubo de traqueostomia que o impede de falar. Suas mandíbulas não estão mais presas com arame. Ele tem dez anos, sabe usar as palavras. Mas nós ficamos em volta dele como se ainda fosse um bebê. Mudamos de ideia, passamos para o plano B, interrompemos as conversas, prometemos e voltamos atrás, tudo de acordo com o humor dele, seus caprichos e suas necessidades. Tudo bem agirmos assim quando ele era pequeno, mas agora ele precisa crescer. Precisamos permitir, ajudar e fazer com que ele cresça. É isto o que eu penso: passamos tanto tempo tentando fazer o August acreditar que ele era normal, agora ele realmente acha isso. O problema é que ele não é normal.

Ensino médio

O que sempre gostei mais na escola no ensino fundamental é que aquele era um mundo à parte, diferente de casa. Eu podia ir para lá e ser Olivia Pullman — não Via, que é como minha família me chama. Via era como me chamavam na pré-escola também. Naquela época, todo mundo sabia de tudo sobre nós, é claro. Minha mãe sempre me buscava levando August no carrinho. Não havia muitas pessoas preparadas para cuidar dele, por isso papai e mamãe o levavam a todas as peças, apresentações e recitais da minha escola, todos os eventos, fossem para levantar fundos ou uma feira de livros. Meus amigos o conheciam. Os pais dos meus amigos o conheciam. Meus professores o conheciam. Até o zelador o conhecia. "Ei, como você está, Auggie?", perguntava ele, e sempre trocava um *high-five* com August. Meu irmão era uma espécie de ornamento fixo da escola.

Mas, no ensino fundamental, muita gente não sabia de nada. Meus antigos amigos, sim, mas os novos, não. Ou, se sabiam, não era necessariamente a primeira coisa que descobriam a meu respeito. Talvez fosse a segunda ou a terceira.

"A Olivia? Sim, ela é legal. Você sabia que ela tem um irmão deformado?"

Sempre odiei essa palavra, mas sabia que era como as pessoas descreviam o Auggie. E sabia que provavelmente esse tipo de conversa acontecia sempre que eu não estava ouvindo, sempre que eu me afastava em uma festa ou esbarrava com grupos de amigos na pizzaria. Tudo bem. Sempre serei a irmã de uma criança com um defeito de nascença; a questão não é essa. Só que não quero ser definida por isso sempre.

A melhor coisa do ensino médio é que quase ninguém me conhece. Com exceção da Miranda e da Ella, é claro. E elas sabem que não devem sair por aí falando sobre o assunto.

Miranda, Ella e eu nos conhecemos desde o primeiro ano. O mais legal é que nunca temos que explicar nada umas para as outras. Quando decidi que queria que elas me chamassem de Olivia, em vez de Via, elas aceitaram sem me pedir explicações.

Elas conhecem o August desde que ele era um bebezinho. Quando éramos pequenas, nossa brincadeira favorita era vesti-lo; nós o cobríamos de boás de penas, grandes chapéus e perucas da Hannah Montana. Ele adorava isso, é claro, e nós o achávamos lindo a seu modo. Ella disse que ele a fazia se lembrar de *E.T.* É óbvio que sua intenção não era ser cruel (embora tenha sido um pouquinho). A verdade é que há uma cena no filme em que Drew Barrymore põe uma peruca loura no E.T., e esse foi o estopim para nossa brincadeira de Miley Cyrus.

No ensino fundamental, Miranda, Ella e eu éramos um grupinho fechado. Ficávamos entre superpopulares e simpáticas: não éramos nerds, atletas, ricas, drogadas, malvadas, boazinhas, altonas nem baixinhas. Não sei se nós três nos encontramos porque éramos muito parecidas em vários aspectos ou se nos tornamos parecidas por termos nos encontrado. Ficamos muito felizes quando todas entramos para a Faulkner High School. Foi muita sorte termos sido aceitas, sobretudo porque quase ninguém da nossa escola foi. Lembro como gritávamos ao telefone no dia em que recebemos as cartas de matrícula.

É por isso que não entendo o que vem acontecendo com a gente nos últimos tempos, agora que realmente estamos no ensino médio. Nada é como eu achei que seria.

Major Tom

De todas nós, quase sempre Miranda era a mais doce com o August, abraçava-o e brincava com ele mesmo muito depois de Ella e eu termos começado a brincar de outra coisa. Até quando ficamos mais velhas, Miranda sempre fez questão de tentar incluí-lo nas conversas, perguntar como ele estava, conversar sobre *Avatar*, *Star Wars*, *Bone* ou qualquer outra coisa que ela soubesse que ele gostava. Foi Miranda quem deu ao August o capacete de astronauta que ele usava praticamente todos os dias quando tinha cinco ou seis anos. Ela o chamava de Major Tom e os dois cantavam juntos "Space Oddity", do David Bowie. Era uma coisa deles. Sabiam a letra toda, botavam a música para tocar no iPod e cantavam bem alto.

Como Miranda sempre ligava para a gente assim que chegava do acampamento de verão, fiquei um pouco surpresa quando não tive notícias dela. Até mandei uma mensagem, mas ela não respondeu. Imaginei que tivesse ficado no acampamento por mais tempo, agora que era monitora. Talvez tivesse conhecido um garoto legal.

Então notei, pelo perfil no Facebook, que ela já havia voltado para casa fazia duas semanas, por isso mandei uma mensagem pelo chat e conversamos um pouco on-line, mas ela não falou por que não tinha ligado, o que achei bizarro. Miranda sempre foi um pouco esquisita, então imaginei que fosse só isso. Marcamos de nos encontrar no centro, mas tive que cancelar porque íamos viajar no fim de semana para visitar meus avós.

Assim acabei não vendo nem Miranda nem Ella até o primeiro dia de aula. E, tenho que admitir, fiquei chocada. Miranda estava muito diferente: com o cabelo curto, estilo joãozinho, pintado — é inacreditável — de um cor-de-rosa forte, e com um top tomara que caia listrado que (a) parecia muito inadequado para o colégio, e (b) não era nem um pouco o estilo dela. Miranda sempre foi supercareta para roupas, e lá estava ela de cabelo cor-de-rosa e tomara que caia. E ela não só parecia diferente: também estava agindo de um modo estranho. Não posso dizer que não foi simpática, porque foi, mas pareceu meio distante, como se eu fosse uma amiga qualquer. Foi a coisa mais estranha do mundo.

No almoço, nós três sentamos juntas como de costume, mas a dinâmica havia mudado. Estava claro que Ella e Miranda tinham saído sem mim algumas vezes durante o verão, embora nunca tenham de fato dito isso. Eu fingia não estar nem um pouco chateada enquanto conversávamos, embora pudesse sentir meu rosto ficando quente, meu sorriso se tornando falso. Apesar de Ella não ter exagerado como Miranda, também notei uma mudança em seu estilo. É como se elas tivessem combinado de reconstruir sua imagem na nova escola, mas sem se importar de me incluir. Confesso que sempre me achei acima das mesquinharias da adolescência, mas senti um nó na garganta durante o almoço.

"Vejo vocês mais tarde", falei, com a voz trêmula, quando o sinal tocou.

Depois da escola

— Parece que vamos lhe dar uma carona até em casa hoje.

Foi Miranda quem disse isso, no oitavo tempo. Tinha acabado de se sentar na carteira atrás de mim. Eu havia me esquecido de que minha mãe ligara para a de Miranda na noite anterior perguntando se ela poderia me levar depois da aula.

— Não precisa — respondi instintivamente, como se não fosse nada de mais. — Minha mãe pode me buscar.

— Achei que ela tivesse que buscar o Auggie, ou algo assim.

— Mas ela pode vir me buscar depois. Ela acabou de me mandar uma mensagem. Sem problemas.

— Ah. Ok.

— Obrigada.

Era tudo mentira, mas eu não conseguia me imaginar sentada em um carro com a nova Miranda. Depois da aula me enfiei em um dos banheiros para não esbarrar com a mãe dela do lado de fora. Meia hora depois saí da escola, corri os três quarteirões até o ponto de ônibus, subi no M86 para a Central Park West e peguei o metrô para casa.

— Oi, querida! — disse a mamãe no momento em que passei pela porta da frente. — Como foi seu primeiro dia? Eu estava começando a me perguntar onde vocês tinham se enfiado.

— Paramos para comer uma pizza.

É incrível como uma mentira pode escapar facilmente de nossos lábios.

— A Miranda não está com você?

Ela pareceu admirada por não ver minha amiga bem atrás de mim.

— Foi direto para casa. Temos muito dever.

— No primeiro dia?

— É, no primeiro dia! — gritei, o que deixou mamãe chocada. Mas antes que ela pudesse dizer qualquer coisa, continuei: — Foi tudo bem na escola. É realmente grande lá. Os alunos parecem legais. — Eu queria dar

102

a ela informações suficientes para que não precisasse me perguntar mais nada. — Como foi o primeiro dia do Auggie?

Mamãe hesitou, com as sobrancelhas ainda arqueadas por eu ter gritado com ela um segundo antes.

— Legal — falou devagar, como se soltasse a respiração.

— O que você quer dizer com legal? — perguntei. — Foi bom ou ruim?

— Ele disse que foi bom.

— Então por que você acha que não foi?

— Eu não falei que não foi bom! Meu Deus, Via, o que há com você?

— Ah, esquece, deixa para lá — respondi, e entrei dramaticamente no quarto do August, batendo a porta depois.

Ele estava jogando PlayStation e nem ergueu os olhos. Eu odiava o modo como os videogames o deixavam parecendo um zumbi.

— E aí? Como foi na escola? — perguntei, chegando a Daisy para o lado a fim de conseguir me sentar perto dele na cama.

— Legal — respondeu ele, ainda sem tirar os olhos do jogo.

— Auggie, estou falando com você!

Arranquei o PlayStation de suas mãos.

— Ei! — gritou ele, zangado.

— Como foi na escola?

— Já disse que foi legal! — ele berrou, pegando o jogo de volta.

— As pessoas foram gentis com você?

— Foram!

— Ninguém foi mau?

Ele deixou o PlayStation de lado e olhou para mim como se eu tivesse acabado de fazer a pergunta mais idiota do mundo.

— Por que as pessoas seriam más? — indagou.

Era a primeira vez que eu o ouvia ser sarcástico desse jeito. Não achei que ele pudesse fazer isso.

O Padawan fica para trás

Não lembro bem em qual momento daquela noite Auggie cortou a trança de Padawan, nem sei por que isso me deixou tão chateada. Sempre achei a obsessão dele com tudo relacionado a *Star Wars* uma coisa meio nerd, e aquela trança com as contas era simplesmente horrível. Mas ele sempre tivera tanto orgulho daquilo, de como havia demorado para crescer, de como ele mesmo tinha escolhido as contas em um armarinho do Soho. Ele e Christopher, seu melhor amigo, brincavam com sabres de luz e outras coisas de *Star Wars* sempre que se encontravam, e os dois começaram a deixar a trança crescer ao mesmo tempo. Quando August cortou a dele naquela noite, sem nenhuma explicação, sem nem me contar antes (o que foi surpreendente) — e sem sequer ligar para o Christopher —, fiquei tão chateada que nem consigo explicar por quê.

Já vi o Auggie pentear o cabelo em frente ao espelho do banheiro. Ele tenta deixar cada fio meticulosamente no lugar. Inclina a cabeça para ver ângulos diferentes, como se no espelho houvesse alguma perspectiva mágica capaz de mudar seu rosto.

Mamãe bateu à porta do meu quarto depois do jantar. Parecia exausta, e percebi que, por causa do Auggie e de mim, o dia também tinha sido duro para ela.

— Então, quer me contar o que está acontecendo? — perguntou ela baixinho e em tom gentil.

— Agora não, está bem? — respondi.

Eu estava lendo. Estava cansada. Talvez mais tarde quisesse conversar com ela sobre a Miranda, mas naquele momento, não.

— Volto antes de você ir dormir — disse ela, aproximando-se e beijando o topo da minha cabeça.

— A Daisy pode dormir comigo esta noite?

— Claro. Vou trazê-la mais tarde.

— Não se esqueça de voltar — falei enquanto ela saía.

— Prometo.

Mas ela não voltou naquela noite. Em vez dela, quem apareceu foi o papai. Ele me disse que o primeiro dia do meu irmão na escola tinha sido ruim e que a mamãe o estava ajudando com isso. Perguntou como tinha sido o meu dia e respondi que foi bom. Ele falou que não acreditava nem um pouco nisso e contei que a Miranda e a Ella estavam sendo idiotas. (No entanto, não falei que peguei o metrô para casa sozinha.) Ele disse que nada põe amizades tão à prova quanto o ensino médio e depois começou a zombar de mim por estar lendo *Guerra e paz*. Não de verdade, é claro, porque eu já o ouvira se gabar para as pessoas de que tem "uma filha de quinze anos que lê Tolstói". Mas ele gostava de me provocar perguntando em que ponto do livro eu estava, na parte da guerra ou da paz, e se havia algo ali sobre os dias de Napoleão como dançarino de *hip hop*. Era uma coisa boba, mas papai sempre conseguia fazer todo mundo rir. E às vezes isso é tudo de que você precisa para se sentir melhor.

— Não fique zangada com a mamãe — disse ele, ao se inclinar para me dar um beijo de boa-noite. — Você sabe como ela se preocupa com o Auggie.

— Eu sei — respondi.

— Quer que eu deixe a luz acesa ou que apague? Está ficando tarde — falou, parando à porta, ao lado do interruptor.

— Você pode trazer a Daisy antes?

Dois segundos depois ele voltou com a Daisy balançando em seus braços e a pôs deitada na cama, do meu lado.

— Boa noite, querida — falou e beijou minha testa. Também deu um beijo na testa da Daisy. — Boa noite, mocinha. Bons sonhos.

105

Uma aparição à porta

Certa vez, acordei com sede no meio da noite e vi a mamãe de pé do lado de fora do quarto do Auggie. Ela estava com a mão na maçaneta e a testa apoiada na porta entreaberta. Não estava entrando nem saindo do quarto: estava apenas parada do lado de fora, como se ouvisse o som da respiração dele enquanto dormia. As luzes do corredor estavam apagadas. A única coisa que a iluminava era a luz noturna azulada do quarto de August. Ela parecia meio fantasmagórica de pé ali. Ou talvez eu devesse dizer angelical. Tentei voltar para o quarto sem ser percebida, mas ela me ouviu e se aproximou.

— O Auggie está bem? — perguntei.

Eu sabia que às vezes ele acordava engasgado com a própria saliva caso se virasse de barriga para cima sem querer.

— Está, sim — respondeu mamãe, e me abraçou.

Ela me levou de volta ao meu quarto, me cobriu e me deu um beijo de boa-noite. Jamais explicou o que estava fazendo à porta do quarto dele, e eu nunca perguntei.

Fico imaginando quantas noites ela passou ali. E se alguma vez ficou parada à minha porta daquele jeito.

Café da manhã

— Você pode me buscar na escola hoje? — perguntei na manhã seguinte, passando um pouco de cream cheese no bagel.

A mamãe preparava o almoço do August (queijo flamenco no pão integral, macio o bastante para ele comer), ele estava sentado à mesa comendo flocos de aveia. Papai se arrumava para ir trabalhar. Agora que eu estava no ensino médio, a nova rotina seria eu e papai pegarmos o metrô juntos de manhã, o que o obrigava a sair de casa quinze minutos mais cedo que o normal, depois eu saltar na minha estação e ele seguir em frente. E a mamãe me buscaria de carro após a aula.

— Eu ia ligar para a mãe da Miranda para ver se ela poderia trazer você de novo — respondeu ela.

— Não, mãe! — falei depressa. — Você me busca. Ou vou pegar o metrô.

— Você sabe que ainda não quero que pegue o metrô sozinha — disse a mamãe.

— Mãe, eu tenho quinze anos! Todo mundo da minha idade pega o metrô sozinho!

— Ela pode vir de metrô — disse o papai, e depois entrou na cozinha colocando a gravata.

— Por que a mãe da Miranda não pode trazê-la de novo? — questionou a mamãe.

— Ela já tem idade para pegar o metrô sozinha — insistiu ele. A mamãe olhou para nós dois.

— Está acontecendo alguma coisa?

A pergunta não foi dirigida a nenhum de nós em particular.

— Você saberia se tivesse voltado para falar comigo — falei, de forma maldosa. — Como *disse* que faria.

— Meu Deus, Via — falou a mamãe, lembrando-se de como tinha me abandonado completamente na noite anterior. Ela largou a faca

107

que estava usando para cortar as uvas de Auggie ao meio (elas ainda eram um risco para ele, que poderia se engasgar por causa do palato pequeno). — Sinto tanto... Adormeci no quarto do Auggie. Quando acordei...

— Eu sei, eu sei — falei, assentindo de um jeito indiferente.

Mamãe chegou perto de mim, pôs as mãos nas minhas bochechas e levantou meu rosto para que eu a olhasse.

— Sinto muito, muito mesmo — sussurrou.

Dava para ver que ela estava se sentindo mal de verdade.

— Tudo bem! — falei.

— Via...

— Mãe, tudo bem.

Dessa vez eu estava sendo sincera. Ela parecia tão arrependida que eu queria livrá-la daquela agonia.

Mamãe me beijou e me abraçou e depois voltou às uvas.

— Então, algum problema com a Miranda? — perguntou.

— Ela só está agindo como uma completa idiota.

— A Miranda não é idiota! — interveio Auggie depressa.

— Ela pode ser, sim — gritei. — Pode acreditar.

— Tudo bem então. Vou buscar você na escola, sem problema — disse a mamãe em tom decisivo, deslizando as uvas cortadas para um saco plástico com a lateral da faca. — Essa era a ideia desde o início mesmo. Vou de carro buscar o Auggie e depois pego você. Provavelmente chegaremos lá por volta de 15h45.

— Não! — falei com firmeza, antes mesmo que ela tivesse terminado.

— Isabel, ela pode pegar o metrô! — disse o papai, impaciente. — Ela já é uma moça. Está lendo *Guerra e paz*, pelo amor de Deus!

— O que *Guerra e paz* tem a ver com isso? — rebateu a mamãe, chateada.

— Significa que você não precisa mais ir buscá-la de carro como se ela fosse um bebê — respondeu ele, severo. — Via, você está pronta? Pegue sua mochila e vamos.

— Estou pronta — falei, agarrando a mochila. — Tchau, mãe! Tchau, Auggie!

Dei dois beijos rápidos neles e fui para a porta.

— Você ao menos tem um cartão do metrô? — perguntou a mamãe.

— É claro que tem — respondeu o papai, exasperado. — Siiim, mamãe! Pare de se preocupar tanto! Tchau — falou, dando um beijo no rosto dela. — Tchau, garotão. — Deu um beijo no alto da cabeça do August. — Estou orgulhoso de você. Tenha um bom dia.

— Você também, papai. Tchau!

Meu pai e eu demos uma corridinha pelos degraus da varanda e começamos a descer o quarteirão.

— Ligue para mim depois da aula, antes de pegar o metrô! — gritou a mamãe pela janela.

Não me virei, mas acenei para que ela soubesse que eu tinha ouvido. O papai, sim, se virou, dando alguns passos de costas.

— *Guerra e paz*, Isabel! — gritou, sorrindo e apontando para mim. — *Guerra e paz!*

Genética básica

Ambos os lados da família do papai eram de judeus vindos da Rússia e da Polônia. Os avós do meu avô paterno fugiram dos *pogroms* e acabaram chegando à cidade de Nova York na virada do século. Os pais da vovó fugiram dos nazistas e foram parar na Argentina nos anos 1940. O vovô e a vovó se conheceram em um baile no Lower East Side quando ela estava na cidade visitando um primo. Eles se casaram, se mudaram para Bayside, e tiveram o papai e o tio Ben.

A família da mamãe é do Brasil. Exceto a mãe dela, minha linda vovó, e o pai, Agosto, que morreu antes de eu nascer, o restante da família — todos os tios, tias e primos muito glamorosos — ainda mora no Alto Leblon, um bairro chique da zona sul do Rio. A vovó e Agosto se mudaram para Boston no início dos anos 1960 e tiveram a mamãe e a tia Kate, que é casada com o tio Porter.

Minha mãe e meu pai se conheceram na Universidade Brown e estão juntos desde então. Isabel e Nate: como "unha e carne". Eles se mudaram para Nova York logo depois da faculdade. Poucos anos depois eu nasci, e então, quando eu tinha cerca de um ano, eles foram morar em uma casa de tijolos com terraço em North River Heights, um bairro cheio de hippies e seus bebês da alta sociedade nova-iorquina.

Ninguém em toda a exótica mistura de genes da minha família jamais mostrou nenhum sinal óbvio de ter o que August tem. Já vi fotos granuladas em sépia de mulheres da família, mortas há muito tempo, usando *babushkas*, aqueles lenços típicos da Rússia, na cabeça; fotos em preto e branco de primos distantes em ternos de linho branco engomados, soldados uniformizados e moças com penteados retrô; polaroides de adolescentes com calça boca de sino e hippies de cabelo comprido, e nenhuma vez fui capaz de detectar em seus rostos nem sequer o mais leve traço do rosto do August. Nenhuma. Mas, depois que o August nasceu, meus pais recorreram à genética. Ouviram que August tinha o que parecia um tipo de "disostose bucomaxilofacial previamente desconhecida causada pela mutação de um autossomo recessivo no gene TCOF1, localizado no cromossomo 5, complicada por uma microssomia hemifacial característica do espectro óculo-aurículo-vertebral". Às vezes essas mutações acontecem durante a gestação. Às vezes são herdadas de um dos pais, que carrega o gene dominante. Às vezes acontecem por causa da interação de muitos genes, possivelmente combinada a fatores ambientais. Isso é chamado de herança multifatorial. No caso de August, os médicos conseguiram identificar uma das "mutações por supressão de nucleotídeo único" que destruiu seu rosto. O mais estranho é que, apesar de ser impossível ver isso olhando para eles, tanto meu pai quanto minha mãe carregam o gene mutante.

E eu também.

O quadrado de Punnett

Se eu tiver filhos, há cinquenta por cento de chance de eu passar o gene defeituoso para eles. Isso não significa que serão como o August, mas eles carregarão o mesmo gene que meu irmão tem em dose dupla e que o faz ser como é. Se eu me casar com alguém que tenha o mesmo gene defeituoso, há cinquenta por cento de chance de nossos filhos terem o gene e serem perfeitamente normais; vinte e cinco por cento de chance de não terem o gene, e vinte e cinco por cento de chance de serem como o August.

Se o August tiver filhos com alguém sem o gene, a probabilidade de as crianças o herdarem é de cem por cento, mas não há nenhuma chance de o terem em dose dupla, como o August. Isso significa que os filhos dele carregarão o gene de qualquer forma, mas poderão ter uma aparência normal. Se o meu irmão se casar com alguém que tenha o gene, os filhos dele terão as mesmas chances que os meus.

Isso só explica uma parte do August — a que tem explicação. Há outra parte de sua constituição genética que não foi herdada e é apenas uma falta de sorte inacreditável.

Ao longo dos anos, incontáveis médicos desenharam pequenos jogos da velha para tentar explicar aos meus pais a loteria genética. Os especialistas usam os chamados quadrados de Punnett para determinar a herança genética de uma pessoa, os genes recessivos e os dominantes, probabilidades e possibilidades. Mas, apesar de tudo o que sabem, existem ainda mais coisas que desconhecem. Eles tentam prever as probabilidades, mas não podem garantir nada. Usam termos como "mosaicismo de linhagem germinativa", "rearranjo cromossômico" ou "mutação retardada" para explicar por que a ciência que estudam não é exata.

Na verdade, eu gosto do modo como os médicos falam. Gosto da sonoridade da ciência. Gosto de como palavras incompreensíveis explicam coisas incompreensíveis. Há um sem-número de pessoas por trás de "mosaicismo de linhagem germinativa", "rearranjo cromossômico" e "mutação retardada". Incontáveis bebês que nunca nascerão, como os meus.

Adeus ao passado

A Miranda e a Ella alçaram voo. Elas se juntaram a um novo grupo destinado à glória no ensino médio. Após uma semana de almoços dolorosos em que só falavam sobre pessoas por quem eu não me interessava nem um pouco, decidi dar um fim àquilo. Elas não fizeram perguntas e eu não contei mentiras. Apenas seguimos caminhos diferentes.

Depois de um tempo, nem me importei. Mas não fui almoçar durante uma semana, para facilitar a transição e evitar aqueles comentários falsos: "Ah, caramba, não tem lugar para você na mesa, Olivia!" Era mais fácil ir para a biblioteca e ler.

Terminei *Guerra e paz* em outubro. É maravilhoso. As pessoas acham que é uma leitura difícil, mas é só um enorme romance, repleto de personagens que se apaixonam, brigam por amor, morrem por amor. Quero me apaixonar desse jeito um dia. Quero que meu marido me ame como o príncipe Andrei amava Natasha.

Comecei a andar com uma garota chamada Eleanor, que conheci quando era mais nova, embora depois a gente tenha feito o ensino fundamental em escolas diferentes. A Eleanor sempre foi uma garota bem inteligente — meio chorona naquela época, mas legal. Nunca tinha me dado conta de como ela era engraçada (não de dar gargalhadas, como o papai, mas cheia de boas tiradas), e ela nunca soube quão descontraída eu podia ser. Acho que a Eleanor sempre teve a impressão de que eu era muito séria. E, por acaso, nunca gostou da Miranda e da Ella. Achava as duas metidas.

Por meio da Eleanor, tive acesso à mesa de almoço do grupinho dos inteligentes. Era um grupo maior do que eu estava acostumada e mais diversificado também. Incluía o namorado da Eleanor, Kevin, que sem dúvida seria do conselho estudantil um dia; alguns garotos do clube de eletrônica; meninas como Eleanor, que faziam parte do comitê de produção do anuário e do clube de debate, e um garoto meio tímido chamado

Justin, que usava óculos redondos, pequenos e tocava violino — por quem me apaixonei na mesma hora.

Quando eu via Miranda e Ella, que agora andavam com o grupo dos superpopulares, nós trocávamos um "Oi. E aí?" e seguíamos em frente. De vez em quando a Miranda me perguntava como o August estava e dizia: "Diga a ele que mandei um alô."

Eu nunca dava o recado. Não por causa da Miranda, mas porque o August estava em seu próprio mundo naquela época. Tinha vezes em que, em casa, nem nos encontrávamos.

31 de outubro

A vovó morreu na véspera do Halloween. Desde então, mesmo que isso tenha acontecido há quatro anos, para mim essa é sempre uma data triste. Para a mamãe também, embora ela não diga nada. Em vez disso, concentra-se em preparar a fantasia do August, uma vez que todos sabemos que o Halloween é sua festa favorita.

Este ano não foi diferente. O August queria muito se vestir como um personagem de *Star Wars* chamado Boba Fett, por isso a mamãe procurou essa fantasia no tamanho dele, mas, por incrível que pareça, estava esgotada em todos os lugares. Buscou em todas as lojas on-line, encontrou algumas no eBay a preços absurdos e, por fim, acabou comprando uma fantasia de Jango Fett, que transformou em uma de Boba Fett pintando-a de verde. Acho que, ao todo, ela gastou duas semanas fazendo a fantasia idiota. E não, não vou mencionar o fato de mamãe nunca ter feito uma fantasia para mim, porque isso realmente não tem nada a ver com a questão.

Na manhã de Halloween acordei pensando na vovó, e isso me deixou muito triste e chorosa. O papai ficava dizendo para eu me apressar e me vestir, o que só serviu para me estressar ainda mais, e de repente comecei a chorar. Eu só queria ficar em casa.

Então meu pai levou o August para a escola, a mamãe deixou que eu faltasse aula e nós duas choramos juntas por um tempo. De uma coisa eu tive certeza: não importava o quanto eu sentisse a falta da vovó, minha mãe devia sentir mais ainda. Todas aquelas vezes em que o August esteve por um fio após alguma cirurgia, em todas aquelas corridas à emergência a vovó sempre esteve ao lado da mamãe. Foi bom chorar com ela. Para nós duas. Em determinado momento, minha mãe teve a ideia de assistirmos juntas a *Nós e o fantasma*, que era um de nossos filmes em preto e branco favoritos. Achei uma ótima ideia. Pensei que poderia aproveitar o momento choroso para contar tudo o que estava acontecendo na escola com a Miranda e a Ella, mas assim que nos sentamos na frente da TV o

116

telefone tocou. Era a enfermeira da escola do August para avisar que ele estava com dor de estômago e que ela podia buscá-lo. Ou seja, nada de filmes antigos e de estreitar laços entre mãe e filha.

Ela foi buscar o August e, assim que chegou em casa, ele correu para o banheiro e vomitou. Depois foi para o quarto e se enfiou na cama, coberto até a cabeça. A mamãe mediu sua temperatura, fez um pouco de chá e assumiu novamente o papel de "mãe do August". A "mãe da Via", que tinha aparecido por um breve momento, foi posta de lado. Mas eu compreendi: ele estava mal.

Nenhuma de nós perguntou por que ele tinha usado a fantasia do *Pânico* em vez da de Boba Fett que a mamãe fizera. Se ela ficou chateada por ver a fantasia em que havia trabalhado durante duas semanas largada no chão, intocada, não demonstrou.

Travessura ou gostosura

Mais tarde o August disse que não estava se sentindo bem para pegar doces, o que era triste, porque sei o quanto ele gosta de brincar de travessura ou gostosura — sobretudo quando escurece. Embora eu já estivesse bem grandinha para essa brincadeira, costumava usar uma máscara qualquer para acompanhá-lo pela vizinhança, observando-o bater às portas dos vizinhos, todo eufórico. Eu sabia que aquela era a única noite do ano em que ele realmente podia ser como as outras crianças. Ninguém sabia que ele era diferente por baixo da máscara. Para August, aquilo devia ser incrível.

Às sete da noite, bati à porta de seu quarto.

— Oi — falei.

— Oi — respondeu ele.

Auggie não estava jogando PlayStation nem lendo gibis. Estava apenas deitado na cama, olhando para o teto. A Daisy estava ao lado, como sempre, com a cabeça apoiada nas pernas dele. A túnica preta e a máscara do *Pânico* estavam jogadas no chão, junto da fantasia de Boba Fett.

— Como está a barriga? — perguntei, sentando-me com ele.

— Ainda estou enjoado.

— Tem certeza de que não quer sair para o Halloween?

— Tenho.

Isso me surpreendeu. Em geral, August era muito forte em relação a seus problemas de saúde, fosse ao andar de skate alguns dias depois de uma cirurgia ou sugar a comida por um canudinho quando seu maxilar estava imobilizado. Aos dez anos, ele havia tomado mais injeções e remédios e passado por mais procedimentos médicos do que a maioria das pessoas, mesmo se somassem dez vidas. E agora estava desistindo por causa de um enjoo qualquer?

— Você quer me dizer o que está acontecendo? — perguntei, soando um pouco como a mamãe.

— Não.

— É a escola?

— É.

— Professores? Dever de casa? Colegas?

Ele não respondeu.

— Alguém falou alguma coisa?

— As pessoas sempre falam alguma coisa — devolveu ele, amargo.

Dava para ver que estava quase chorando.

— Você pode me contar o que aconteceu.

Então ele contou. O August tinha entreouvido coisas *muito* cruéis que alguns garotos estavam dizendo sobre ele. Não se importava com o que os outros garotos falaram, já esperava por isso, mas um deles era seu "melhor amigo", o Jack Will. Eu me lembrei de ouvi-lo falar do Jack algumas vezes nos últimos meses. Lembrei-me de ouvir meus pais dizendo que ele parecia um garoto realmente legal, que estavam felizes por o August já ter feito uma amizade como aquela.

— Às vezes as crianças são idiotas — falei baixinho, segurando a mão dele. — Tenho certeza de que ele não pensa isso de verdade.

— Então por que falou aquilo? O tempo todo ele só estava fingindo que era meu amigo. O Buzanfa deve ter subornado o Jack com notas boas ou algo assim. Aposto que ele disse algo como: "Ei, Jack, se você ficar amigo do esquisito, não precisa fazer nenhuma prova esse ano."

— Você sabe que isso não é verdade. E não diga que você é esquisito.

— Não importa. Eu queria nunca ter entrado naquela escola.

— Mas achei que você estivesse gostando.

— Eu odeio! — De repente ele ficou zangado e começou a socar o travesseiro. — Odeio! Odeio! Odeio! — berrava a plenos pulmões.

Não falei nada. Não sabia o que dizer. Ele estava magoado. Estava furioso.

Deixei que ele extravasasse a raiva por alguns minutos. A Daisy começou a lamber as lágrimas em seu rosto.

— Ei, Auggie — falei, dando tapinhas em suas costas. — Por que você não veste sua fantasia de Jango Fett e...

— É Boba Fett! Por que todo mundo confunde?

— A fantasia de Boba Fett — corrigi, tentando manter a calma. Passei o braço em volta de seus ombros. — Vamos sair, ok?

119

— Se eu for, a mamãe vai achar que estou melhor e vai me obrigar a ir para a escola amanhã.

— Ela jamais obrigaria você a ir — retruquei. — Ai, Auggie. Vamos lá. Vai ser divertido, prometo. E deixo você ficar com todos os meus doces.

Ele não discutiu. Levantou da cama e, devagar, começou a vestir a fantasia de Boba Fett. Eu o ajudei a ajustar as tiras e apertar o cinto e, quando ele pôs o capacete, dava para ver que estava se sentindo melhor.

Tempo para pensar

No dia seguinte, o August continuou fingindo que estava com dor de estômago para não ter que ir à escola. Admito que me senti um pouco mal por causa da mamãe, que ficou realmente preocupada com a possibilidade de ele estar com alguma virose, mas eu havia prometido que não comentaria nada sobre o incidente na escola.

No domingo, ele continuava determinado a não voltar para a Beecher Prep. Quando me disse isso, perguntei:

— E o que você pretende dizer à mamãe e ao papai?

— Eles disseram que eu poderia desistir quando quisesse.

Ele falou isso ainda focado no gibi que estava lendo.

— Mas você nunca foi do tipo que desiste das coisas — retruquei, e era verdade. — Não é do seu feitio.

— Vou desistir.

— Vai ter que explicar a eles por quê — assinalei, tirando o gibi das mãos dele para que me olhasse enquanto conversávamos. — Aí a mamãe vai ligar para a escola e todos vão ficar sabendo.

— O Jack Will vai levar bronca?

— Imagino que sim.

— Que bom.

Tenho que reconhecer que o August estava me surpreendendo cada vez mais. Ele pegou outro gibi na prateleira e começou a folheá-lo.

— Auggie, você vai mesmo deixar que alguns garotos idiotas o impeçam de voltar à escola? Eu sei que você estava gostando. Não dê a eles esse poder. Não dê a eles essa satisfação.

— Eles nem fazem ideia de que eu ouvi — explicou ele.

— Eu sei que não, mas...

— Via, está tudo bem. Sei o que estou fazendo. Já tomei minha decisão.

— Mas isso é loucura, Auggie! — falei, enfática, tirando o outro gibi da mão dele também. — Você tem que voltar. Todo mundo odeia a escola de vez em quando. Eu odeio às vezes. Odeio minhas amigas às vezes. É a vida, Auggie. Você quer ser tratado como um garoto normal, não quer? Isso é normal! Todo mundo tem que ir à escola, mesmo que de vez em quando tenha dias ruins. Ok?

— As pessoas mudam de caminho para não encostar em você, Via? — rebateu ele.

Por um momento fiquei sem resposta.

— Certo. Foi o que pensei. Então não compare meus dias ruins com os seus, tá?

— Está bem, é justo — concordei. — Mas isso não é uma disputa de quem tem os piores dias, Auggie. A questão é que todos temos que lidar com os dias ruins. Agora, a menos que você queira ser tratado como um bebê pelo resto da vida, ou como uma criança com necessidades especiais, tem que engolir isso e voltar para a escola.

Ele não disse nada, mas achei que talvez tivesse compreendido essa última parte.

— Você não precisa trocar nem uma palavra com aqueles garotos — continuei. — Sabe, August, na verdade, é bem legal você saber o que eles disseram sem que eles saibam que você sabe.

— Como assim?

— Você entendeu o que eu quis dizer. Não precisa falar com eles nunca mais, se quiser. E eles nunca vão saber por quê. Está vendo? Ou você pode fingir ser amigo deles, mas bem no fundo vai saber que não é.

— É o que você faz com a Miranda?

— Não — respondi depressa, na defensiva. — Nunca menti para a Miranda.

— Então por que está sugerindo que eu faça isso?

— Não estou! Só estou dizendo que você não deve deixar que aqueles idiotas o atinjam. Só isso!

— Como a Miranda atingiu você.

— Por que você fica falando da Miranda? — gritei, impaciente. — Estou tentando conversar sobre os seus amigos. Por favor, deixe os meus fora disso.

— Você nem é mais amiga dela.

— O que isso tem a ver com a nossa conversa?

O modo como o August olhava para mim me fazia lembrar um rosto de boneca. Ele me encarava sem nenhuma expressão, os olhos semicerrados.

— Ela ligou um dia desses — disse ele por fim.

— O quê? — Eu estava pasma. — E você não me disse nada?

— Ela não ligou para você — respondeu ele, pegando os dois gibis da minha mão. — Ligou para mim. Só para dizer oi. Para ver como eu estava. Ela nem sabia que eu estava em uma escola de verdade. Não acredito que você não contou. A Miranda disse que vocês duas não andam mais juntas, mas ela queria que eu soubesse que sempre vai me amar como se fosse minha irmã.

Duplamente pasma. Magoada. Embasbacada. Sem palavras.

— Por que você não me contou? — perguntei, por fim.

— Não sei.

Ele deu de ombros, abrindo o primeiro gibi de novo.

— Bem, vou contar à mamãe e ao papai sobre o Jack Will se você sair da escola — ameacei. — O Sr. Buzanfa vai pedir que você vá até lá e fará os garotos pedirem desculpas na frente de todo mundo e todos passarão a tratar você como alguém que deveria frequentar uma escola para crianças com necessidades especiais. É isso que você quer? Porque é o que vai acontecer. Ou então simplesmente volte e aja como se nada tivesse acontecido. Se quiser confrontar o Jack, tudo bem. Mas, de todo modo, se você...

— Está bem. Está bem — interrompeu ele.

— O quê?

— Tudo bem! Eu vou! — gritou ele, não muito alto. — Só pare de falar disso. Posso ler meu gibi agora?

— Ótimo! — respondi. Já estava me virando para sair do quarto quando pensei em uma coisa. — A Miranda disse mais alguma coisa sobre mim?

Ele tirou os olhos da revistinha e cravou-os nos meus.

— Pediu que eu dissesse que ela sente sua falta. Fecha aspas.

Assenti.

— Obrigada — falei em tom casual, constrangida demais para deixar que ele percebesse como eu estava feliz.

Parte três

Você é lindo, não importa o que digam

Palavras não podem derrubá-lo

Você é lindo de todas as formas

Sim, palavras não podem derrubá-lo

— Christina Aguilera, "Beautiful"

Crianças estranhas

Algumas crianças realmente me perguntam por que eu ando tanto com "o esquisito". Esse pessoal nem o conhece direito. Se conhecesse, não o chamaria assim.

— Porque ele é legal! — respondo sempre. — E não fale assim dele.

— Você é uma santa, Summer — disse a Ximena Chin outro dia. — Eu não conseguiria fazer o que você está fazendo.

— Não é nada de mais — respondi, sendo sincera.

— O Sr. Buzanfa pediu que você ficasse amiga dele? — perguntou a Charlotte Cody.

— Não. Sou amiga dele porque quero.

Quem diria que o fato de eu me sentar com o August Pullman no almoço teria tanta repercussão? As pessoas agem como se essa fosse a coisa mais esquisita do mundo. É estranho como as crianças podem ser estranhas.

Sentei com ele naquele primeiro dia porque tive pena. Só isso. Lá estava ele, aquele menino de aparência diferente, em uma escola nova. Ninguém falava com ele. Todo mundo ficava olhando. Todas as meninas da minha mesa cochichavam sobre ele. Ele não era o único aluno novo na Beecher Prep, mas era o único sobre quem todos estavam falando.

"Você já viu o garoto zumbi?"

Coisas desse tipo correm depressa. E o August sabe disso. Já é bem difícil ser um aluno novo quando se tem um rosto normal. Imagine com o rosto dele!

Então simplesmente fui até lá e me sentei. Nada de mais. Queria que as pessoas parassem de tentar fazer parecer grande coisa.

Ele é só um garoto. O garoto mais estranho que já vi, é verdade. Mas só um garoto.

A praga

Admito que demora um pouco para a gente se acostumar com o rosto do August. Eu já me sento com ele há duas semanas, e digamos apenas que ele não come da maneira mais limpinha do mundo. Mas, apesar disso, ele é muito legal. Também devo dizer que não sinto mais pena. Essa pode ter sido a razão que me fez sentar perto dele na primeira vez, mas não é por isso que continuo. Almoço com o August porque ele é divertido.

Uma das coisas de que não estou gostando este ano é que algumas crianças estão agindo como se fossem velhas demais para brincar. Tudo o que querem fazer no recreio é "passar o tempo" e "conversar". E agora só falam de quem gosta de quem, quem é bonito e quem não é. O August não liga para essas coisas. Ele gosta de jogar bola no recreio, que nem eu.

Foi justamente por jogar bola com o August que descobri sobre a praga. Parece que um "jogo" está rolando desde o início do ano. Qualquer um que encoste nele por acidente tem apenas trinta segundos para lavar as mãos ou passar um antisséptico antes de pegar a praga. Não sei o que acontece se alguém realmente pega a praga porque ninguém encostou nele ainda — não diretamente.

Descobri isso quando a Maya Markowitz disse que não jogava bola com a gente no recreio porque não queria pegar a praga.

— Que praga? — perguntei, e ela me contou.

Falei para a Maya que aquilo era uma grande bobagem e ela concordou. Mas. Mesmo assim, disse que não tocaria em uma bola em que August tivesse acabado de pôr as mãos, não se pudesse evitar.

A festa de Halloween

Eu estava muito animada porque tinha sido convidada para a festa de Halloween da Savanna.

Ela provavelmente é a garota mais popular da escola. Todos os caras gostam dela. Todas as meninas querem ser suas amigas. Foi a primeira do quinto ano a ter um "namorado" de verdade. Era um garoto de outra escola, mas eles terminaram e ela começou a sair com Henry Joplin, o que faz sentido, porque os dois parecem muito que já são adolescentes.

Embora eu não seja da turma "popular", fui convidada por algum motivo, o que é muito legal. Quando falei com a Savanna que tinha recebido o convite e iria à festa, ela foi muito gentil, mas fez questão de me avisar que não tinha chamado muitas pessoas, então eu não devia sair por aí me gabando por ter sido convidada. A Maya, por exemplo, não foi. Também fez questão de falar que não era para usar fantasia. Foi bom, porque é claro que eu me fantasiaria para ir a uma festa de Halloween — não com a fantasia de unicórnio que fiz para o desfile, mas com a roupa de gótica que tinha usado na escola. Mas nem isso eu poderia usar na festa de Savanna. O único ponto negativo no fato de ter sido convidada é que agora não poderia ir ao desfile de Halloween, e a fantasia de unicórnio seria desperdiçada. Fiquei meio triste com isso, mas tudo bem.

A primeira coisa que aconteceu quando cheguei à festa foi que a Savanna me recebeu na porta e perguntou:

— Cadê seu namorado, Summer?

Eu não tinha a menor ideia do que ela estava falando.

— Acho que ele não precisa usar máscara no Halloween, não é? — acrescentou ela.

Então entendi que ela estava falando do August.

— Ele não é meu namorado — respondi.

— Eu sei. Estou só brincando!

Ela me deu um beijo no rosto (todas as meninas do grupinho se beijavam no rosto sempre que se encontravam) e jogou meu casaco em um cabideiro na entrada. Então pegou minha mão e me levou escada abaixo, até o porão, onde estava acontecendo a festa. Não vi os pais dela em lugar nenhum.

Havia umas quinze crianças lá: todas populares, do grupo da Savanna ou do Julian. Acho que os dois grupos meio que se juntaram em um grande grupo dos populares, agora que alguns deles tinham começado a namorar.

Eu nem sabia que havia tantos casais. Quer dizer, sabia da Savanna e do Henry, mas Ximena e Miles? E Ellie e Amos? A Ellie é quase tão reta quanto eu.

Cinco minutos depois que cheguei, Henry e Savanna estavam ao meu lado, praticamente em cima de mim.

— Então, queremos saber por que você anda tanto com o garoto zumbi — disse o Henry.

— Ele não é um zumbi — falei, rindo, como se aquilo fosse uma piada.

Eu estava sorrindo, mas não me sentia feliz.

— Sabe, Summer — começou a Savanna —, você seria bem mais popular se não andasse com ele. Vou ser sincera: o Julian gosta de você. Ele quer convidar você para sair.

— Quer?

— Você acha ele bonito?

— Hum... acho que sim. É, ele é bonito.

— Então tem que escolher com quem quer andar — disse a Savanna. Ela falava comigo como uma irmã mais velha faria com uma criancinha. — Todo mundo gosta de você, Summer. Todos acham você legal e muito, muito bonita. Você com certeza poderia andar com a gente se quisesse e, pode acreditar em mim, um monte de meninas do quinto ano adoraria isso.

— Eu sei — falei, assentindo. — Obrigada.

— De nada. Quer que eu diga ao Julian para vir falar com você?

Olhei para onde ela estava apontando e vi o Julian nos observando.

— Hum... Na verdade preciso ir ao banheiro. Onde fica?

Fui para onde ela indicou, sentei na beirada da banheira, liguei para minha mãe e pedi que fosse me buscar.

— Está tudo bem? — perguntou mamãe.

— Sim, só não quero mais ficar aqui — falei.

A mamãe não fez mais perguntas e disse que chegaria em dez minutos.

— Não toque a campainha — pedi. — Só me ligue quando chegar.

Fiquei no banheiro até minha mãe ligar, então subi as escadas sem que ninguém visse, peguei meu casaco e saí.

Eram só nove e meia da noite. O desfile de Halloween estava arrebentando na Amesfort Avenue. Toda a região estava lotada. Todo mundo fantasiado. Esqueletos. Piratas. Princesas. Vampiros. Super-heróis.

Mas nenhum unicórnio.

Novembro

No dia seguinte, falei para a Savanna que tinha comido um doce estragado no Halloween e passado mal, por isso havia saído mais cedo da festa, e ela acreditou. Havia mesmo uma virose rolando, então foi uma boa mentira.

Também disse a ela que gostava de outra pessoa, e não do Julian, para que ela me deixasse em paz com relação a isso e dissesse a ele que eu não estava interessada. É claro que ela quis saber de quem eu gostava, mas falei que era segredo.

O August faltou à aula no dia seguinte ao Halloween e, quando voltou, notei que algo tinha acontecido.

Ele estava agindo de um modo tão estranho no almoço! Não falou praticamente nada e ficava olhando para a comida enquanto eu conversava com ele. Como se não quisesse me encarar.

Por fim, perguntei:

— Auggie, está tudo bem? Você está chateado comigo?

— Não.

— Uma pena você não ter se sentido bem no Halloween. Fiquei procurando por um Boba Fett nos corredores.

— É, eu passei mal.

— Pegou aquela virose?

— Acho que sim.

Ele abriu um livro e começou a ler, o que foi meio grosseiro.

— Estou tão empolgada com o projeto do Museu Egípcio... — falei. — Você não está?

Ele fez que não com a cabeça, ainda mastigando. Desviei o olhar. Pelo modo como ele estava comendo, quase como se estivesse sendo mal-educado de propósito, e o modo como seus olhos estavam meio fechados, havia uma energia muito negativa vindo dele.

— Qual vai ser o seu projeto? — perguntei.

Ele deu de ombros, puxou um pequeno pedaço de papel do bolso da calça jeans e me entregou por cima da mesa.

Todos os alunos do quinto ano receberam a tarefa de criar uma peça para o Dia do Museu Egípcio, que aconteceria em dezembro. Os professores escreveram os temas em papeizinhos, depois os puseram em um pote e em seguida pediram que cada aluno pegasse um.

Desdobrei o papel do Auggie.

— Ah, que legal! — falei, talvez um pouco empolgada demais, porque estava tentando chamar a atenção dele. — Você pegou a pirâmide de degraus de Saqqara!

— Eu sei! — disse ele.

— Peguei Anúbis, o deus da vida após a morte.

— Aquele que tem cabeça de cachorro?

— Na verdade, é cabeça de chacal — eu o corrigi. — Ei, quer começar a fazer o projeto comigo depois da aula? Você pode ir para minha casa.

O August pousou o sanduíche e se recostou na cadeira. Não consigo nem descrever o olhar dele.

— Sabe, Summer, você não precisa fazer isso.

— Do que você está falando?

— Não precisa ser minha amiga. Sei que o Sr. Buzanfa falou com você.

— Não tenho a menor ideia do que você está falando.

— O que estou dizendo é que você não precisa fingir. Sei que o Sr. Buzanfa conversou com alguns alunos antes do início das aulas e disse a eles para serem meus amigos.

— Ele não falou comigo, August.

— Falou, sim.

— Não falou nada.

— Falou.

— Não falou! Juro pela minha vida!

Ergui as mãos para que ele visse que eu não estava cruzando os dedos. Na mesma hora ele olhou para baixo, então tirei os sapatos para mostrar que os dedos dos pés também não estavam cruzados.

— Você está de meia-calça — disse o August, em tom acusador.

— Dá para ver mesmo assim! — gritei.

— Tudo bem, não precisa berrar.

— Não gosto de ser acusada, tá?

— Tá. Sinto muito.

— Tem que sentir mesmo.

— Ele não falou com você, de verdade?

— Auggie!

— Certo, certo. Sinto muito mesmo.

Eu teria ficado zangada com ele por mais tempo, mas o August me contou uma coisa ruim que tinha acontecido no dia do Halloween e não consegui mais ficar chateada. Basicamente, ele tinha ouvido Jack falando mal dele, dizendo coisas horríveis pelas costas. Isso meio que explicava por que ele estava agindo daquele jeito, e agora eu sabia por que ele tinha ficado "doente".

— Prometa que não vai contar a ninguém.

— Prometo. — Assenti. — Promete que nunca mais vai ser malvado comigo desse jeito?

— Prometo — respondeu ele, e cruzamos nossos dedos mindinhos.

Alerta: esse garoto é perigoso

Eu tinha avisado à mamãe sobre o August. Havia descrito como ele era. Fiz isso porque sabia que ela nem sempre era muito boa em esconder seus sentimentos, e o August iria lá em casa pela primeira vez naquele dia. Até mandei uma mensagem enquanto ela estava no trabalho, para lembrá-la. Mas, quando minha mãe chegou, vi em sua expressão que não havia sido o suficiente. Ela ficou chocada quando entrou e o viu pela primeira vez.

— Oi, mãe. Este é o Auggie. Ele pode ficar para jantar? — perguntei depressa.

Levou um segundo para que ela ao menos registrasse minha pergunta.

— Oi, Auggie — cumprimentou ela. — Hum, claro, querida. Se a mãe dele não se importar.

Enquanto o Auggie ligava para casa pelo celular, sussurrei para a mamãe:

— Pare de fazer essa cara de espanto!

Estava com a cara de quando está assistindo ao jornal e algo terrível aparece. Ela assentiu depressa, como se não tivesse percebido que estava fazendo aquilo. Depois disso foi muito legal e normal com o Auggie.

Passado algum tempo, a gente se cansou de trabalhar nos projetos e foi para a sala de estar. O Auggie estava olhando os porta-retratos na lareira e viu uma foto minha com o papai.

— Esse é seu pai?

— É.

— Eu não sabia que você era... qual é a palavra?

— Mestiça.

— Isso! É isso mesmo.

— Sou.

Ele voltou a olhar para a foto.

— Seus pais são separados? Nunca vi vocês dois na saída nem nada.

— Ah, não — falei. — Ele era sargento do Exército. Morreu há alguns anos.

— Puxa! Eu não sabia.

— É.

Assenti, mostrando para ele uma foto do meu pai com uniforme.

— Nossa, quantas medalhas.

— É. Ele era bem incrível.

— Uau, Summer. Sinto muito.

— É, é uma droga. Eu sinto muita falta dele.

— É, puxa.

Ele assentiu também, devolvendo a foto para mim.

— Alguém que você conhecia já morreu? — perguntei.

— Só minha avó, mas eu nem me lembro direito dela.

— Que triste...

O Auggie fez que sim com a cabeça.

— Você às vezes se pergunta o que acontece com as pessoas quando elas morrem?

Ele deu de ombros.

— Na verdade, não. Quer dizer, elas não vão para o céu? Minha avó foi para lá.

— Eu penso muito nisso — falei. — Acho que quando as pessoas morrem a alma vai para o céu, mas só por um tempinho. Tipo, é lá que elas reencontram os amigos e falam sobre os velhos tempos. Então acho que as almas começam a pensar na vida que tiveram na Terra, tipo, se foram boas ou más, e coisas assim. Então nascem de novo como bebezinhos.

— Por que elas iriam querer fazer isso?

— Porque assim teriam outra chance de fazer tudo certo — respondi. — As almas têm uma chance de consertar as coisas.

Ele pensou e assentiu.

— Meio como quando você faz uma segunda chamada de prova — comentou.

— Isso.

— Mas elas não voltam iguais. Quer dizer, nascem completamente diferentes do que eram antes, certo?

— Ah, sim — garanti. — A alma continua a mesma, mas todo o resto é diferente.

136

— Gostei disso — falou, balançando a cabeça várias vezes. — Gostei mesmo, Summer. Significa que na minha próxima vida não vou continuar preso a esse rosto.

Ao falar, apontou para o próprio rosto e deu uma piscadela, o que me fez rir.

— Acho que não.

Encolhi os ombros.

— Ei, posso até ser bonito! — disse ele, com um sorriso. — Seria ótimo, não seria? Eu poderia voltar e ser um cara bonitão, sarado e alto.

Ri de novo. Ele era tão bem-humorado com relação a si mesmo. Essa era uma das coisas que eu mais gostava no Auggie.

— Auggie, posso lhe fazer uma pergunta?

— Pode — disse ele, como se soubesse exatamente o que eu iria perguntar.

Hesitei. Já fazia um tempo que queria perguntar aquilo, mas nunca tinha coragem.

— O que é? — disse ele. — Você quer saber qual é o problema do meu rosto?

— É, acho que sim. Se não tiver problema perguntar.

Ele deu de ombros. Fiquei muito aliviada por não parecer chateado nem triste.

— Tudo bem, não é nada de mais — falou em tom casual. — O meu principal problema é uma coisa chamada di-os-to-se bu-co-ma-xi-lo-fa--ci-al, que, aliás, levei uma eternidade para aprender a falar. Mas também tenho outra síndrome que eu nem consigo pronunciar. E essas coisas meio que se juntaram em uma grande supercoisa, tão rara que nem tem nome. Quer dizer, não quero me gabar nem nada, mas sou considerado um tipo de milagre da medicina, sabe?

Ele sorriu.

— Foi uma piada — falou. — Pode rir.

Sorri e balancei a cabeça.

— Você é divertido, Auggie.

— É, eu sou — devolveu ele, orgulhoso. — Sou superbacana.

137

A tumba egípcia

Durante o mês seguinte, o August e eu nos encontramos várias vezes depois da aula, tanto na casa dele quanto na minha. Os pais do August até convidaram mamãe e eu para jantar algumas vezes. Eu os ouvi falando de arranjar um encontro entre minha mãe e o tio do August, Ben.

No dia da exposição do Museu Egípcio, estávamos todos muito agitados e animados. Tinha nevado na véspera — não tanto quanto no feriado de Ação de Graças, mas ainda assim, neve é neve.

O ginásio foi transformado em um museu gigante, com os artefatos egípcios de todo mundo dispostos em uma mesa com cartõezinhos explicativos. A maioria dos trabalhos estava muito boa, mas tenho que admitir que acho que o meu e o do August eram os melhores, de verdade. Minha escultura de Anúbis parecia bem realista, e eu tinha até usado tinta dourada de verdade. A pirâmide de degraus do August era feita de cubos de açúcar e tinha sessenta centímetros de largura e sessenta de altura. Ele tinha pintado os cubos com uma tinta cor de areia. Estava incrível.

Todos usamos fantasias egípcias. Algumas crianças estavam com roupa de arqueólogo, tipo o Indiana Jones. Outras se vestiam como faraós. August e eu estávamos de múmia, com o rosto coberto, exceto por dois buraquinhos para os olhos e um para a boca.

Quando os pais chegaram fizeram fila no corredor em frente ao ginásio. Então fomos autorizados a ir até eles e guiá-los em um passeio pelo ginásio escuro, com a ajuda de lanternas. August e eu levamos nossas mães juntos. Parávamos diante de cada objeto e, aos sussurros, explicávamos o que era aquilo e respondíamos às perguntas. Como estava escuro, usávamos nossas lanternas para iluminar o objeto enquanto falávamos. Às vezes, para dar um efeito dramático, a gente iluminava o rosto de baixo para cima enquanto narrava algo detalhadamente. Foi tão divertido ouvir todos aqueles sussurros no escuro, ver as luzes ziguezagueando pelo lugar.

Em determinado momento, fui até o bebedouro. Tive que tirar a faixa de múmia do rosto para beber água.

— Ei, Summer — disse o Jack, aproximando-se para falar comigo. Ele estava vestido como aquele cara do filme *A múmia*. — Fantasia legal.

— Obrigada.

— A outra múmia é o August?

— É.

— Hum... você sabe por que ele está chateado comigo?

— Sei — murmurei, assentindo.

— Pode me dizer?

— Não.

Ele balançou a cabeça. Parecia desapontado.

— Prometi a ele que não falaria nada — expliquei.

— É tão estranho! Não tenho a menor ideia de por que ele ficou chateado de repente. Nenhuma. Você pode pelo menos me dar uma pista?

Olhei para o outro lado do ginásio, onde o August conversava com nossas mães. Eu não ia quebrar minha promessa de não contar a ninguém o que ele tinha ouvido, mas fiquei com pena do Jack.

— *Pânico* — sussurrei no ouvido dele, e fui embora.

Parte quatro

Jack

Agora, esse é o meu segredo. É muito simples.
Só se pode enxergar direito com o coração.
O essencial é invisível aos olhos.
— Antoine de Saint-Exupéry, *O pequeno príncipe*

O telefonema

Em agosto, meus pais receberam um telefonema do Sr. Buzanfa, diretor do ensino fundamental II.

— Talvez ele ligue para todos os alunos novos para dar as boas-vindas — disse a mamãe.

— São muitas crianças para quem ligar — respondeu o papai.

Então a mamãe retornou a ligação e fiquei ouvindo enquanto ela falava com ele ao telefone. Suas exatas palavras:

"Ah, oi, Sr. Buzanfa. Aqui é a Amanda Will, estou retornando sua ligação. *Pausa*. Ah, obrigada! Isso é muito gentil da sua parte. Ele está ansioso. *Pausa*. Sim. *Pausa*. Sim. *Pausa*. Ah. Claro. *Pausa demorada*. Ahhh. Certo. *Pausa*. Bem, é muita gentileza sua. *Pausa*. Claro. Ahh! Uau! Ahhhh! *Pausa superdemorada*. Entendo, claro. Tenho certeza que ele vai. Deixe-me anotar... pronto. Ligarei para o senhor depois que falar com ele, está bem? *Pausa*. Não, obrigada por pensar nele. Tchau!"

Quando ela desligou, perguntei:

— O que foi? O que ele disse?

Minha mãe respondeu:

— Bem, na verdade é uma grande honra, mas também é meio triste. Sabe, há um garoto que vai entrar para a escola este ano, e ele nunca estudou em um colégio de verdade antes, porque tinha aulas em casa. Então o Sr. Buzanfa pediu a alguns professores que indicassem quem eram os alunos mais legais que estavam indo para o quinto ano, e devem ter dito que você é um garoto especialmente gentil, o que eu já sabia, é claro. Por isso o Sr. Buzanfa gostaria de saber se pode contar com você para receber o menino.

— Tipo deixar que ele ande comigo? — perguntei.

— Isso mesmo. O Sr. Buzanfa chamou de "colega de boas-vindas".

— Mas por que eu?

— Já falei. Seus professores disseram que você é um garoto muito gentil. Estou tão orgulhosa que eles o tenham em tão alta conta...

— Por que é triste?

— Como assim?

— Você disse que era uma honra, mas também meio triste.

— Ah! — A mamãe assentiu. — Bem, parece que o garoto tem algum tipo de... hum... acho que há alguma coisa errada com o rosto dele... ou algo assim. Não tenho certeza. Talvez ele tenha sofrido um acidente. O Sr. Buzanfa disse que vai explicar melhor quando você for à escola na semana que vem.

— Mas as aulas só começam em setembro!

— Ele quer que você conheça o garoto antes de as aulas começarem.

— Eu sou obrigado a fazer isso?

Mamãe pareceu um pouco surpresa.

— Bem, não. Claro que não. Mas seria legal da sua parte, Jack.

— Se não sou obrigado, não quero.

— Você pode ao menos pensar no assunto?

— Estou pensando, e não quero.

— Bem, não vou obrigá-lo a nada — disse ela —, mas pelo menos pense um pouco mais, está bem? Só vou dar a resposta ao Sr. Buzanfa amanhã, então apenas reflita um pouco. Quer dizer, Jack, realmente não acho que seja pedir demais que você passe um pouco de tempo com um aluno novo...

— Não é só porque ele é novo, mãe — rebati. — Ele é deformado.

— Que coisa horrível de dizer, Jack!

— Mas ele é, mãe.

— Você nem sabe quem é ele!

— Sei, sim — respondi, porque, no instante em que ela começou a falar, percebi que se tratava daquele garoto chamado August.

Carvel

Eu me lembro de tê-lo visto pela primeira vez em frente à sorveteria Carvel, na Amesfort Avenue, quando tinha uns cinco ou seis anos. Minha babá, Veronica, e eu estávamos sentados em um banco do lado de fora da loja, com o Jamie, meu irmão menor, no carrinho, de frente para nós. Acho que eu estava ocupado comendo minha casquinha, porque nem reparei nas pessoas que se sentaram do nosso lado.

Em certo momento virei a cabeça para sugar o sorvete pela ponta da casquinha, e foi então que vi o August. Ele estava bem do meu lado. Sei que isso não é legal, mas ao vê-lo eu meio que soltei um grito, porque me assustei de verdade. Achei que estivesse usando uma máscara de zumbi ou algo assim. Foi o tipo de grito que você dá quando está assistindo a um filme de terror e o vilão pula de uma moita. De todo modo, sei que fazer isso não foi legal da minha parte e, embora o menino não tenha me ouvido, sei que a irmã dele ouviu.

— Jack! Temos que ir! — disse a Veronica.

Ela havia se levantado e estava virando o carrinho, porque o Jamie, que obviamente também tinha acabado de notar o garoto, poderia dizer algo constrangedor. Então levantei meio de repente, como se uma abelha tivesse pousado em mim, e fui atrás da babá, que tinha saído correndo. Ouvi a mãe do garoto dizer às nossas costas:

— Certo, crianças, acho que é hora de irmos.

Então virei para trás e olhei para eles mais uma vez. O menino estava lambendo seu sorvete de casquinha, a mãe pegava o patinete dele e a irmã olhava para mim como se fosse me matar. Desviei os olhos depressa.

— Veronica, o que aquele menino tinha? — sussurrei.

— Shhh, menino! — disse ela, zangada.

Adoro a Veronica, mas quando ela fica brava, fica *brava mesmo*. Enquanto isso o Jamie estava praticamente caindo do carrinho, tentando dar mais uma olhada, mas ela o pôs no lugar.

— Mas, Vonica... — protestou meu irmão.

— Vocês se comportaram mal! Muito mal! — brigou a Veronica, assim que nos afastamos um pouco mais. — Ficar olhando daquele jeito!

— Foi sem querer! — falei.

— Vonica — chamou Jamie.

— E a gente saindo como saiu... — murmurou ela. — Meu Deus, coitada daquela moça. É o que sempre digo, meninos: todos os dias temos que agradecer ao Senhor por nossas bênçãos, estão ouvindo?

— Vonica!

— O que foi, Jamie?

— Já é Halloween?

— Não, Jamie.

— Então por que aquele garoto estava de máscara?

A Veronica não respondeu. Às vezes, quando ela ficava zangada com alguma coisa, fazia isso.

— Ele não estava de máscara — expliquei ao Jamie.

— Chega, Jack! — disse ela.

— Por que está tão brava, Veronica?

Não pude deixar de perguntar. Achei que isso fosse deixá-la ainda mais zangada, mas ela só balançou a cabeça.

— Foi horrível o que a gente fez. Levantar daquele jeito, como se tivesse acabado de ver o diabo. Eu estava com medo do que o Jamie poderia dizer, sabe? Não queria que ele falasse algo que pudesse magoar o menino. Mas foi muito ruim ir embora daquele jeito. A mãe dele percebeu o que estava acontecendo.

— Mas não fizemos de propósito — retruquei.

— Jack, às vezes magoamos as pessoas sem querer. Entende?

Aquela foi a primeira vez que vi o August na vizinhança, pelo menos que eu lembre. Mas desde então o vi por ali, algumas vezes na pracinha, outras no parque. Às vezes ele estava com um capacete de astronauta. Todas as crianças do bairro sabiam que era ele. Todo mundo tinha visto August em algum momento. Todos nós sabíamos seu nome, embora ele não soubesse os nossos.

E, sempre que eu o via, tentava me lembrar do que a Veronica dissera. Mas era difícil. É difícil não dar uma segunda olhada. É difícil agir normalmente quando você vê o August.

Por que mudei de ideia

— Para quem mais o Sr. Buzanfa ligou? — perguntei à mamãe mais tarde naquela noite. — Ele falou?

— Ele mencionou o Julian e a Charlotte.

— Julian! — exclamei. — Argh! Por que o Julian?

— Você era amigo dele.

— Mãe, isso foi, tipo, no jardim de infância. O Julian é o garoto mais falso do mundo. E fica o tempo todo querendo ser popular.

— Bem, pelo menos ele concordou em ajudar o garoto. Temos que lhe dar algum crédito por isso.

Não falei nada, porque ela estava certa.

— E a Charlotte? — perguntei. — Ela também topou?

— Sim — respondeu a mamãe.

— Claro que topou. A Charlotte é toda certinha — falei.

— Nossa, Jack! Parece que você está tendo problemas com todo mundo.

— É só... — comecei. — Mãe, você não tem ideia de como o garoto é.

— Posso imaginar.

— Não! Não pode! Você nunca o viu. Eu já.

— Talvez não seja quem você está pensando.

— Pode acreditar, é sim. E estou lhe dizendo: é muito, *muito* ruim. Ele é deformado, mãe. Os olhos dele são aqui. — Apontei para minhas bochechas. — E ele não tem orelhas. E a boca é como...

O Jamie havia entrado na cozinha para pegar um suco na geladeira.

— Pergunte ao Jamie — sugeri. — Não é, Jamie? Você se lembra daquele garoto que vimos no parque depois da escola, no ano passado? O que se chama August. O que tem aquela cara.

— Ah, aquele garoto? — disse o Jamie, de olhos arregalados. — Eu tive até pesadelo! Lembra, mãe? Aquele pesadelo com zumbis que tive ano passado?

— Achei que tivesse sido por assistir a filmes de terror! — respondeu ela.

— Não! Foi depois disso! Quando eu vi aquele garoto, fiquei meio "Ahhh!" e saí correndo...

— Espere um minuto — disse a mamãe, séria. — Você fez isso na frente dele?

— Não deu para evitar — falou o Jamie, choramingando.

— É claro que você poderia ter evitado! Meninos, tenho que dizer que estou muito decepcionada com o que estou ouvindo. — Ela parecia decepcionada mesmo. — Quer dizer, ele é só um garotinho... exatamente como vocês! Jamie, imagine como ele se sentiu ao ver você gritando e correndo.

— Não foi um grito — defendeu-se meu irmão. — Foi tipo um "Ahhh!".

Ele pôs as mãos nas bochechas e começou a correr pela cozinha.

— Ora, Jamie! — disse a mamãe, zangada. — Sinceramente, achei que meus filhos fossem mais solidários que isso.

— O que é solidário? — perguntou meu irmão, que ainda ia começar o segundo ano.

— Você sabe muito bem o que eu quis dizer com "solidário", Jamie.

— Mas ele é tão horroroso, mamãe... — falou o Jamie.

— Ei! — gritou ela. — Não gosto dessa palavra! Jamie, pegue o seu suco. Quero conversar a sós com o Jack. — Assim que meu irmão saiu, ela disse: — Olha, Jack...

Eu sabia que ela ia começar um sermão.

— Tudo bem, eu topo — falei, o que a deixou chocada.

— Mesmo?

— Sim!

— Então posso ligar para o Sr. Buzanfa?

— Pode, mãe! Já falei que sim!

A mamãe sorriu.

— Eu sabia que faria a coisa certa, garoto. Que bom! Estou orgulhosa de você, Jack.

Ela bagunçou meu cabelo. Mas foi esse o motivo para eu ter mudado de ideia: não que eu quisesse evitar um sermão da minha mãe; nem proteger o August do Julian, que eu sabia que ia agir como um completo idiota; só que, quando ouvi o Jamie contar que correu do August gritando

"Ahhh!", de repente me senti muito mal. A questão é que sempre haverá pessoas como o Julian, idiotas. Mas, se um garotinho como o Jamie, que geralmente é legal, podia ser cruel daquele jeito, então o August não teria a menor chance na escola.

Quatro coisas

Em primeiro lugar: a gente se acostuma com o rosto dele. Nas primeiras vezes eu pensava: "Uau, nunca vou me habituar a isso." Mas então, depois de mais ou menos uma semana, comecei a pensar: "Hum, não é tão ruim assim."

Segundo: ele é muito legal, de verdade. Quer dizer, é bem engraçado. Tipo, o professor diz alguma coisa, e o August sussurra algo divertido para mim, que ninguém mais ouve e me faz morrer de rir. Ele também é, além de tudo, um cara legal. Tipo, é tranquilo ficar com ele, conversar, essas coisas.

Em terceiro lugar, ele é muito inteligente mesmo. Achei que estaria atrasado em relação a todo mundo, porque nunca tinha ido à escola. Mas ele é melhor que eu na maioria das matérias. Talvez não seja tão inteligente quanto a Charlotte ou a Ximena, mas está quase lá. E, ao contrário delas, ele me deixa colar quando realmente preciso (embora eu só tenha precisado umas poucas vezes). Ele também me deixou copiar o dever de casa uma vez, embora nós dois tenhamos ficado encrencados por isso depois.

— Vocês dois deram exatamente as mesmas respostas erradas no dever de casa de ontem — disse a Sra. Rubin, olhando para nós como se esperasse uma explicação.

Eu não soube o que dizer, considerando que a explicação seria: "Ah, foi porque eu copiei o dever do August."

Mas ele mentiu para me proteger.

— Ah, foi porque fizemos o dever juntos ontem à noite — falou, o que definitivamente não era verdade.

— Bem, fazerem o dever de casa juntos é bom — respondeu a Sra. Rubin —, mas ainda assim vocês deveriam trabalhar separados, tudo bem? Podem estudar lado a lado se quiserem, mas não podem realmente fazer o dever juntos, certo? Entenderam?

Depois que saímos da sala, falei:

— Cara, obrigado por ter feito isso.

— Não foi nada — disse o August.

Isso foi legal da parte dele.

Em quarto lugar, agora que o conheço, devo dizer que quero mesmo ser amigo do August. No início, admito, só fiquei amigo dele porque o Sr. Buzanfa tinha me pedido para ser especialmente legal e tudo mais. Mas agora eu escolheria andar com ele. O August ri de todas as minhas piadas. E eu meio que sinto que posso contar qualquer coisa para ele. Ele é um bom amigo. Tipo, se todos os garotos do quinto ano estivessem alinhados em uma parede e eu tivesse que escolher com qual deles iria querer andar, eu escolheria o August.

Ex-amigos

Pânico? Que diabo é isso? A Summer Dawson sempre foi um pouco doida, mas isso foi demais. Eu só perguntei a ela por que o August estava agindo como se estivesse chateado comigo. Achei que ela saberia. E só o que ela disse foi *"Pânico"*? Nem entendi o que isso significava.

É muito estranho, porque, em um dia, o August e eu éramos amigos. No dia seguinte, ele mal falava comigo. E eu não fazia a mínima ideia do motivo. Então perguntei a ele: "Ei, August, você está chateado comigo?" Ele apenas deu de ombros e se afastou. Então definitivamente tomei isso como um sim. E, como eu tinha certeza de que não havia feito nada para aborrecê-lo, imaginei que a Summer pudesse me explicar. Mas tudo o que consegui arrancar dela foi *"Pânico"*. É, grande ajuda. Valeu, Summer.

Sabe, tenho muitos outros amigos na escola. Então, se o August quer se tornar oficialmente meu ex-amigo, por mim tudo bem, não me importo. Comecei a ignorá-lo do mesmo modo que ele estava fazendo comigo. Na verdade isso é meio difícil, pois nos sentamos juntos em quase todas as aulas.

Os outros alunos notaram e começaram a me perguntar se eu e o August tínhamos brigado. Ninguém pergunta a ele o que está acontecendo. Aliás, quase ninguém fala com ele. Quer dizer, a única outra pessoa com quem ele anda além de mim é a Summer. Às vezes ele fica um pouco com o Reid Kingsley, e os dois Max o chamaram para jogar Dungeons & Dragons algumas vezes no recreio. A Charlotte, apesar de ser toda certinha, não faz mais do que acenar e dizer oi quando passa por ele no corredor. E não sei se todos ainda fazem o jogo da praga pelas costas dele, porque ninguém nunca me falou sobre isso diretamente, mas a questão é: não é como se ele tivesse um monte de outros amigos com quem possa ficar além de mim. Se quer me desprezar, é ele quem sai perdendo, não eu.

Então é assim que as coisas estão entre nós agora. Só falamos sobre a escola e se for estritamente necessário. Tipo, eu pergunto: "Qual foi mesmo o dever de casa que a Sra. Rubin passou?" E ele responde. Ou então ele pede: "Posso usar seu apontador?" E eu empresto. Mas, assim que o sinal toca, cada um segue seu caminho.

O lado positivo é que agora ando com várias outras pessoas. Antes, quando eu estava com o August o tempo todo, o pessoal não queria ficar comigo por causa dele. Ou escondia coisas de mim, como o caso da praga. Acho que eu era o único que não participava, sem contar a Summer e talvez o grupo de D&D. E a verdade é que, embora ninguém diga abertamente, não tem quem queira andar com ele. Todo mundo prefere ficar no grupo dos populares, e ele está o mais distante possível disso. Mas agora posso andar com quem eu quiser. Se eu quisesse estar no grupo dos populares, poderia muito bem fazer isso.

O lado negativo é que, bem, (a) na verdade, não gosto tanto assim de andar com os populares e (b) eu realmente gostava de andar com o August.

Então isso é muito chato. E é tudo culpa dele.

Neve

A primeira vez que nevou foi logo antes do feriado de Ação de Graças. A escola não funcionou e ganhamos mais um dia de folga. Fiquei feliz por isso, porque estava superchateado com toda a história do August e queria mesmo um tempo para esfriar a cabeça sem ter que encontrá-lo todos os dias. Além disso, acordar quando está nevando é uma das coisas de que mais gosto no mundo. Adoro aquela sensação de abrir os olhos pela manhã e não saber por que tudo parece diferente. Então, de repente, você entende: tudo está silencioso. Não há carros buzinando. Não há ônibus passando nas ruas. Aí você corre para a janela e, lá fora, tudo está branco: as calçadas, as árvores, os carros na rua, as vidraças. E quando isso acontece em um dia de aula e você descobre que a escola está fechada, bem, não importa quanto eu cresça: sempre vou achar que essa é a melhor sensação do mundo. E não vou ser um desses adultos que usam guarda-chuva quando está nevando — nunca.

A escola do papai também estava fechada, então ele levou o Jamie e eu ao parque, para descer o Skeleton Hill de trenó. Diziam que uma criança pequena havia quebrado o pescoço ao descer esse morro alguns anos antes, mas não sei se é verdade ou só uma lenda. A caminho de casa, vi um trenó de madeira destruído apoiado em um monumento. O papai falou para eu deixar aquilo lá, que era lixo, mas algo me dizia que aquele seria o melhor trenó de todos os tempos. Então ele me deixou levá-lo para casa e passei o resto do dia consertando-o. Juntei as ripas de madeira com supercola e passei uma fita adesiva bem resistente em volta delas, para reforçar. Depois pintei tudo com a tinta branca que eu havia comprado para a esfinge de alabastro de Mênfis, que estava fazendo para o projeto do Museu Egípcio. Depois que secou, escrevi RELÂMPAGO em letras douradas na tábua do meio e, em cima, desenhei um pequeno raio. Devo dizer que ficou bem profissional. O papai falou: "Uau, Jack! Você estava certo sobre o trenó!"

No dia seguinte, voltamos para o parque com o *Relâmpago*. Era muito rápido — muito, muito, muito mais rápido que aqueles trenós de plástico que a gente usava. E, como a temperatura tinha aumentado, a neve estava mais úmida e estalava mais; bem boa para esquiar. Eu e Jamie nos revezamos no *Relâmpago* a tarde toda. Brincamos no parque até nossos dedos congelarem e os lábios ficarem meio azuis. O papai praticamente teve que nos arrastar para casa.

Quando o fim de semana acabou, a neve já estava meio cinza e amarelada, e então uma pancada de chuva transformou quase tudo em lama. Ao voltarmos para a escola na segunda-feira, não tinha mais neve alguma.

O primeiro dia depois do feriado foi chuvoso e nojento. Um dia enlameado. Também era assim que eu me sentia por dentro.

Acenei e cumprimentei o August assim que o vi. Estávamos em frente aos armários. Ele acenou de volta e disse oi.

Queria lhe contar sobre o *Relâmpago*, mas não fiz isso.

A sorte favorece os bravos

O preceito do Sr. Browne de dezembro foi: "A sorte favorece os bravos." Todos nós devíamos escrever um parágrafo sobre algum momento em nossa vida em que tivéssemos feito algo realmente corajoso e sobre como, por causa disso, alguma coisa boa nos aconteceu.

Para ser sincero, pensei muito. Acho que a coisa mais corajosa que já fiz foi ficar amigo do August. Mas é claro que eu não podia escrever sobre isso. Fiquei com medo de ter que ler em voz alta ou que o Sr. Browne pendurasse os textos no quadro de avisos, como faz de vez em quando. Então, em vez disso, escrevi um parágrafo idiota sobre como eu tinha medo do mar quando era pequeno. Ficou muito bobo, mas não consegui pensar em mais nada.

Imagino sobre o que o August escreveu. Provavelmente, ele tem um monte de histórias entre as quais escolher.

Escola particular

Meus pais não são ricos. Estou dizendo isso porque às vezes as pessoas pensam que todo mundo que estuda em escola particular é rico, mas nós não somos. O papai é professor e a mamãe é assistente social, o que significa que o emprego deles não é um daqueles em que as pessoas ganham *zilhões* de dólares. A gente tinha um carro, mas vendeu quando o Jamie entrou para o jardim de infância na Beecher Prep. Não moramos em uma casa enorme, nem em um daqueles prédios com porteiros em frente ao parque. Alugamos o apartamento de uma senhora chamada Doña Petra, que fica na cobertura de um prédio de cinco andares sem elevador, do "outro lado" da Broadway. Esse é o "código" para a área de North River Heights, onde as pessoas não querem estacionar. O Jamie e eu dividimos um quarto. De vez em quando, ouço sem querer meus pais falarem coisas como "Será que conseguimos ficar sem ar-condicionado mais um ano?" ou "Talvez eu possa trabalhar em dois empregos nesse verão".

Aí hoje, no recreio, eu estava com o Julian, o Henry e o Miles. O Julian, que todo mundo sabe que é rico, estava dizendo:

— Detesto ter que ir a Paris de novo no Natal. É *tão* chato!

— Mas, cara, é, tipo, *Paris* — falei que nem um idiota.

— Pode acreditar, é *muito* chato — disse ele. — Minha avó mora em uma casa no meio do nada. É uma cidadezinha muito, muito minúscula, a uma hora de Paris. Juro por Deus que *nada* acontece lá! Quer dizer, é tipo: "Uau, tem outra mosca na parede! Olhe, um cachorro novo dormindo na calçada. Iuhuuu."

Eu ri. Às vezes o Julian era bem engraçado.

— Mas meus pais estão falando em dar uma grande festa este ano, em vez de ir a Paris. Estou torcendo — continuou Julian. — O que você vai fazer nas férias?

— Vou ficar por aqui — respondi.

— Que sorte a sua — disse ele.

— Espero que neve outra vez — falei. — Tenho um trenó novo que é incrível.

Eu ia contar a eles sobre o *Relâmpago*, mas o Miles me cortou.

— Eu também tenho um trenó novo! Meu pai comprou na Hammacher Schlemmer. É supermoderno.

— Como um trenó pode ser supermoderno? — perguntou o Julian.

— Custou uns oitocentos dólares, sei lá.

— Uau!

— Nós poderíamos apostar uma corrida no Skeleton Hill — sugeri.

— Esse lugar é tão sem graça... — respondeu o Julian.

— Você só pode estar brincando! — falei. — Um garoto quebrou o pescoço lá. Por isso que é chamado de Skeleton Hill.

O Julian estreitou os olhos e me encarou como se eu fosse o maior idiota do mundo.

— O nome é Skeleton Hill porque era um antigo cemitério indígena, cara. Se bem que agora podia ser chamado de Monte de Lixo, de tão emporcalhado que está. Da última vez que fui lá estava muito sujo, com latas de refrigerante e garrafas quebradas, essas coisas.

Ele balançou a cabeça.

— Deixei meu antigo trenó lá — disse o Miles. — Era um pedaço de lixo nojento... e alguém pegou!

— Talvez um mendigo quisesse deslizar na neve! — zombou o Julian.

— Onde foi que você o deixou? — perguntei.

— Perto daquela pedra grande no pé da montanha. Quando voltei no dia seguinte, havia desaparecido. Não dá para acreditar que alguém realmente pegou aquilo!

— Podemos fazer o seguinte — começou o Julian —, da próxima vez que nevar, peço para o meu pai nos levar até o topo de seu campo de golfe, que faz o Skeleton Hill parecer uma piada. Ei, Jack, aonde você vai?

Eu havia começado a me afastar.

— Tenho que pegar um livro no armário — expliquei.

Só queria sair de perto deles depressa. Não queria que ninguém soubesse que eu era o "mendigo" que tinha roubado o trenó.

Ciências

Não sou o melhor aluno do mundo. Sei que algumas crianças gostam mesmo da escola, mas, para ser sincero, eu não. Gosto de algumas coisas, como educação física e informática. E do almoço e da hora do recreio. Mas, de modo geral, ficaria bem sem ir à escola. E o que mais odeio é a quantidade de dever de casa. Não basta nos sentarmos lá aula após aula, tentando ficar acordados enquanto eles enchem nossa cabeça com todas aquelas coisas de que provavelmente nunca iremos precisar, como, por exemplo, calcular a área da superfície de um cubo ou saber a diferença entre as energias cinética e potencial. Tipo, quem se importa? Eu nunca, nunca ouvi meus pais pronunciarem a palavra "cinética" em toda a minha vida!

Ciências é a matéria que mais odeio. Temos tanto trabalho e nem ao menos é divertido! E a professora, a Sra. Rubin, é supersevera com relação a tudo — até o modo como escrevemos o cabeçalho! Uma vez perdi dois pontos em um trabalho porque não pus a data no topo da folha. Que maluquice!

Quando eu e o August ainda éramos amigos, eu estava indo bem em ciências, porque ele se sentava perto de mim e me deixava copiar suas anotações. O August é o garoto com o caderno mais organizado que já vi. Mesmo quando não escrevia em letra de forma, cada curvinha ia para cima e para baixo perfeitamente em letrinhas pequenas e redondas. Mas, agora que não somos mais amigos, não posso mais pedir para copiar as anotações dele.

Então eu estava meio confuso hoje, tentando anotar o que a Sra. Rubin dizia (minha letra é horrível), quando, de repente, ela começou a falar sobre a feira de ciências do quinto ano e que todos tínhamos que escolher um projeto.

Enquanto ela dizia isso, eu pensava: "Acabamos de fazer a droga do projeto do Egito e agora temos que começar tudo de novo?" Na minha cabeça, eu gritava "Nãããããão!", como aquele garoto de *Esqueceram de mim*, com a boca escancarada e as mãos no rosto. Era essa a cara que eu estava fazendo por dentro. Pensei naquela imagem do rosto de um fantasma derretendo, que eu tinha visto em algum lugar, com a boca bem aberta, gritando. De repente aquilo me veio à cabeça, aquela lembrança, e entendi o que Summer queria dizer com *"Pânico"*. É tão estranho o modo como entendi tudo naquele segundo! Alguém da turma tinha ido com essa fantasia no dia do Halloween. Eu me lembrei de ter visto a máscara a algumas carteiras de onde eu estava. E depois não vi mais.

Ah, caramba. Era o August!

Tudo isso me ocorreu no meio da aula de ciências, enquanto a professora estava falando.

Ah, caramba.

Eu estava falando com o Julian sobre o August. Meu Deus! Agora eu entendi! Fui tão cruel! E nem sei por quê. Não tenho certeza do que falei, mas foi ruim. Foi apenas durante um minuto ou dois. Foi só porque eu sabia que o Julian e todos os outros me achavam muito estranho por andar com o August o tempo todo, e me senti idiota. Não sei por que falei aquelas coisas. Só falei o que eles queriam que eu falasse. Eu fui um idiota. Eu sou um idiota. Ai, meu Deus. Mas ele ia de Boba Fett. Era ele, então com aquela máscara, sentado na carteira, olhando para nós. A máscara branca da cara comprida manchada com sangue falso. A boca escancarada. Como se estivesse gritando. Era ele.

Achei que ia vomitar.

Duplas

Depois disso, não ouvi uma palavra sequer do que a Sra. Rubin estava dizendo. Blá-blá-blá. Projeto da feira de ciências. Blá-blá-blá. Duplas. Blá-blá-blá. Parecia o jeito como os adultos falam nos desenhos do Snoopy. Como se fosse embaixo d'água. *Muah-muah-muahhh, muah, muahh.*

Então, de repente, a Sra. Rubin começou a apontar para os alunos da sala.

— Reid e Tristan, Maya e Max, Charlotte e Ximena, August e Jack. — Ela apontou para nós ao dizer isso. — Miles e Amos, Julian e Henry, Savanna e... — Não ouvi o resto.

— Hein? — perguntei.

O sinal tocou.

— Pessoal, não se esqueçam de sentar com sua dupla para escolher um projeto da lista! — disse a Sra. Rubin, enquanto todos se levantavam para sair.

Virei-me para o August, mas ele já estava com a mochila nas costas, praticamente na porta.

Eu devia estar com cara de idiota, porque o Julian se aproximou e disse:

— Parece que você e seu melhor amigo são uma dupla. — Ele deu um sorriso forçado ao falar isso. Eu odiei tanto o Julian naquele momento! — Terra para Jack Will, câmbio — insistiu quando não respondi.

— Cala a boca, Julian.

Eu estava guardando meu fichário na mochila e só queria que ele me deixasse em paz.

— Você deve estar muito chateado por ter que fazer o trabalho com ele — disse o Julian. — Devia dizer à Sra. Rubin que quer trocar de dupla. Aposto que ela deixaria.

— Não, não deixaria — respondi.

— Fale com ela.

— Não, não quero.

— Sra. Rubin — chamou o Julian, virando-se e levantando a mão.

A professora estava apagando o quadro, mas se virou ao ouvir seu nome.

— Não, Julian! — sussurrei, mas de modo brusco.

— O que foi, meninos? — perguntou ela, impaciente.

— Poderíamos trocar de duplas se quiséssemos? — disse o Julian, com um ar muito inocente. — Eu e o Jack tínhamos uma ideia que queríamos fazer juntos para o projeto de ciências...

— Bem, acho que podemos dar um jeito nisso... — começou ela.

— Não, tudo bem, Sra. Rubin — falei depressa, indo para a porta. — Tchau!

O Julian correu atrás de mim.

— Por que você fez isso? — perguntou ele quando me alcançou na escada. — A gente poderia trabalhar em dupla. Você não tem que ser amigo daquele esquisito se não quiser, sabe...

Foi aí que dei um soco nele. Bem na boca.

Detenção

Há coisas que não dá para explicar. Não dá nem para tentar. Impossível saber por onde começar. Se eu tentasse abrir a boca, todas as frases se embolariam em um nó gigante. Quaisquer palavras soariam erradas.

— Jack, isso é muito, muito grave — dizia o Sr. Buzanfa.

Eu estava na sala dele, sentado em uma cadeira de frente para sua mesa e olhando para aquele desenho de abóbora atrás dele.

— Alunos são expulsos por coisas assim, Jack! Sei que é um bom menino e não quero que isso aconteça, mas você tem que se explicar.

— Você não é assim, Jack — disse a mamãe.

Ela veio do trabalho logo que recebeu a ligação da escola. Dava para ver que oscilava entre muito zangada e muito surpresa.

— Achei que você e o Julian fossem amigos — disse o Sr. Buzanfa.

— Não somos — falei, os braços cruzados.

— Mas daí a dar um soco na boca dele, Jack? — repreendeu a mamãe, elevando a voz. — O que você estava pensando? — Ela olhou para o Sr. Buzanfa. — De verdade, ele nunca bateu em ninguém antes. Ele não é assim.

— A boca do Julian estava sangrando, Jack — falou o Sr. Buzanfa. — Você arrancou um dente dele, sabia disso?

— Era só um dente de leite — retruquei.

— Jack! — advertiu a mamãe, balançando a cabeça.

— Mas foi o que a enfermeira Molly disse!

— Você não está entendendo — gritou ela.

— Só quero saber por quê — disse o Sr. Buzanfa, dando de ombros.

— Só iria piorar as coisas — falei com um suspiro.

— É só me contar, Jack.

Dei de ombros, mas não falei nada. Não podia. Se eu dissesse a ele que o Julian tinha xingado o August, ele iria questionar o Julian, que diria como eu também havia falado mal do August, e todo mundo ficaria sabendo.

— Jack! — disse a mamãe.

Comecei a chorar.

— Sinto muito...

O Sr. Buzanfa ergueu as sobrancelhas e assentiu, mas não disse nada. Em vez disso, soprou as mãos, como alguém faz quando está com as mãos geladas.

— Jack — disse ele —, realmente não sei o que falar. Quer dizer, você deu um soco em um colega. Temos regras sobre esse tipo de coisa, sabe? Expulsão imediata. E você nem está tentando se explicar.

A essa altura eu já estava chorando muito e, no instante em que a mamãe passou os braços em volta de mim, desabei.

— Vamos, hum... — começou o Sr. Buzanfa, tirando os óculos para limpá-los. — Vamos fazer o seguinte, Jack. Na próxima semana começam as férias. Que tal você ficar em casa pelo resto desta semana? E então, quando as férias terminarem, você volta e tudo será completamente diferente. Um novo começo, por assim dizer.

— Estou sendo suspenso? — perguntei, fungando.

— Bem — disse ele, encolhendo os ombros —, tecnicamente, sim, mas só por alguns dias. E vou lhe dizer uma coisa: enquanto estiver em casa, pense no que aconteceu. E, se quiser me escrever uma carta explicando, e outra para o Julian, pedindo desculpas, então não colocaremos nada disso no seu histórico, certo? Vá para casa e converse com seus pais, e talvez pela manhã as coisas estejam mais claras para você.

— Parece uma boa ideia, Sr. Buzanfa — concordou a mamãe, assentindo. — Obrigada.

— Tudo vai ficar bem — falou o diretor, dirigindo-se à porta, que estava fechada. — Sei que você é um bom menino, Jack. E sei que, às vezes, até os bons meninos fazem coisas tolas, não é?

Ele abriu a porta.

— Obrigada por ser tão compreensivo — disse a mamãe, apertando a mão dele junto à porta.

— Sem problemas.

Ele se inclinou e disse a ela algo que não consegui ouvir.

— Eu sei, obrigada — falou a mamãe, fazendo que sim.

— Então, garoto — ele se virou para mim e pôs as mãos nos meus ombros —, pense no que fez, tudo bem? E boas férias. Feliz Chanucá! Feliz Natal! Feliz Kwanzaa!

Limpei o nariz na manga do casaco e já estava quase saindo quando a mamãe me parou com um tapinha no ombro.

— Agradeça ao Sr. Buzanfa — ordenou.

Eu parei e me virei, mas não consegui olhá-lo.

— Obrigado, Sr. Buzanfa.

— Tchau, Jack — respondeu ele.

Então eu saí.

Votos de Natal

Por mais estranho que pareça, quando voltamos para casa, a mamãe pegou a correspondência e havia cartões tanto da família do Julian quanto da família do August. O cartão do Julian era uma foto dele usando uma gravata, parecendo que ia à ópera ou algo assim. O do August tinha a imagem de um cachorro velho e fofo usando galhada de rena e nariz e botinhas vermelhos. Havia um balão acima da cabeça do cachorro no qual se lia: "Ho, ho, ho!" No cartão estava escrito:

Para a família Will,
paz na Terra.
Com amor,
Nate, Isabel, Olivia, August (e Daisy)

— Que cartão fofo, hein? — falei para a mamãe, que mal tinha me dirigido a palavra durante todo o caminho até em casa. Acho que ela realmente não sabia o que dizer. — Deve ser o cachorro deles.

— Você quer me dizer o que está passando pela sua cabeça, Jack? — disse ela, muito séria.

— Aposto que eles colocam uma foto do cachorro no cartão todos os anos — continuei.

Ela tirou o cartão das minhas mãos e olhou para a foto com atenção. Então ergueu as sobrancelhas e me devolveu o cartão.

— Temos sorte, Jack. Há tantas coisas pelas quais devemos agradecer...

— Eu sei. — Sabia do que a mamãe estava falando sem que ela precisasse mencionar. — Ouvi dizer que a mãe do Julian usou o Photoshop para tirar o August da foto da turma assim que a recebeu. E deu uma cópia para algumas outras mães.

— Isso é horrível — falou a mamãe. — As pessoas são tão... elas nem sempre são legais.

— Eu sei.

— Foi por isso que você bateu no Julian?

— Não.

Então disse a ela o porquê do soco. E falei que eu e o August não éramos mais amigos. E contei sobre o Halloween.

Cartas, e-mails, Facebook, mensagens

18 de dezembro
Caro Sr. Buzanfa,

Sinto muito mesmo por ter dado um soco no Julian. Foi muito errado da minha parte. Estou escrevendo uma carta para ele, dizendo a mesma coisa. Se o senhor não se importar, prefiro não lhe dizer por que fiz aquilo, pois, na verdade, isso não justificaria nada. Além do mais, não quero criar problemas para o Julian, por ele ter dito algo que não deveria.

Sinceramente,
Jack Will

18 de dezembro
Caro Julian,

Sinto muito por ter batido em você. Muito mesmo. Foi errado da minha parte. Espero que você esteja bem. Espero que seu dente permanente cresça depressa. Os meus sempre crescem.

Sinceramente,
Jack Will

26 de dezembro
Caro Jack,

Muito obrigado por sua carta. Uma coisa eu aprendi depois de vinte anos como diretor desta escola: quase sempre uma história tem mais de dois lados. Embora eu não conheça os detalhes, tenho uma ideia do motivo que gerou seu confronto com Julian.

Embora nada justifique bater em um colega — nunca —, também sei que, às vezes, vale a pena defender um bom amigo. Este tem sido um ano difícil para muitos alunos, como o primeiro ano do ensino fundamental II costuma ser.

Mantenha o bom trabalho e continue sendo o bom menino que sabemos que você é.

Tudo de bom,
Lawrence Buzanfa
Diretor do ensino fundamental II

Para: lbuzanfa@beecherschool.edu
Cc: johnwill@phillipsacademy.edu; amandawill@copperbeech.org
De: melissa.albans@rmail.com
Assunto: Jack Will

Prezado Sr. Buzanfa,

Conversei com Amanda e John Will ontem, e eles expressaram seu pesar por Jack ter dado um soco na boca de nosso filho, Julian. Estou escrevendo para informá-lo de que eu e meu marido apoiamos sua decisão de permitir que Jack volte para a Beecher Prep depois de dois dias de suspensão. Embora eu ache que bater em um colega possa ser motivo de expulsão em outras escolas, concordo que medidas extremas como essa não precisam ser tomadas aqui. Conhecemos os Will desde que as crianças estavam no jardim de infância e sabemos que serão tomadas todas as medidas para que isso não aconteça de novo.

Por outro lado, pergunto-me se o repentino comportamento agressivo de Jack não seria consequência do excesso de pressão sobre seus jovens ombros. Estou falando especificamente do aluno novo com necessidades especiais do qual Julian e Jack foram solicitados a "ser amigos". Em retrospecto, e agora tendo visto o garoto em questão em várias atividades escolares e na foto da turma, acho que pode ter sido demais pedir a nossos filhos que fossem capazes de lidar com tanto. É claro que, quando Julian nos disse que estava sendo difícil ficar amigo do garoto, nós lhe dissemos que "deixasse isso para lá". Achamos que a transição para o ensino fundamental II já é difícil o bastante sem termos que impor fardos mais pesados e outras dificuldades a essas mentes jovens. Também devo dizer que, como membro do conselho escolar, fiquei um pouco incomodada com o fato de, durante o processo de inscrição desse aluno, não ter sido levado em consideração que a Beecher Prep não é uma escola inclusiva. Há muitos pais — eu entre eles — questionando a decisão de aceitar tal aluno em nossa escola. Por fim, fiquei um pouco desconfortável com o fato de essa criança não ter sido submetida aos mesmos estritos padrões de inscrição (ou seja, entrevista) pelos quais passaram os outros novos alunos.

Atenciosamente,
Melissa Perper Albans

Para: melissa.albans@rmail.com
De: lbuzanfa@beecherschool.edu
Cc: johnwill@phillipsacademy.edu; amandawill@copperbeech.org
Assunto: Re: Jack Will

Prezada Sra. Albans,

Obrigado por seu e-mail expondo suas preocupações. Se eu não estivesse convencido de que Jack Will está extremamente arrependido de seus atos e se não estivesse seguro de que ele não os repetirá, com certeza não permitiria que voltasse à Beecher Prep.

Quanto a suas questões com relação a nosso novo aluno, August, por favor, entenda que ele não tem necessidades especiais. Não é deficiente, limitado, nem tem qualquer atraso no desenvolvimento em nenhum sentido, portanto não há motivo para que se questione sua admissão na Beecher Prep — independentemente de esta ser ou não uma instituição inclusiva. Com relação ao processo de inscrição, por motivos óbvios, o diretor de admissões e eu nos sentimos no direito de fazer a entrevista com August em sua casa. Achamos que essa pequena quebra de protocolo era justificável e não prejudicava em sentido algum o processo seletivo. August é excelente aluno e conquistou a amizade de alguns jovens excepcionais, incluindo Jack Will.

No começo do ano letivo, quando recrutei algumas crianças para formar um "comitê de boas-vindas" para August, meu intuito era facilitar sua adaptação ao ambiente escolar. Não achei que pedir a essas crianças que fossem um pouco mais gentis com um novo aluno fosse pôr "um fardo ou dificuldades extras" sobre seus ombros. Na verdade, achei que isso poderia lhes ensinar sobre empatia, amizade e lealdade.

Como foi provado, Jack Will não precisava aprender nenhuma dessas virtudes — ele já as tem de sobra.

Mais uma vez, obrigado pelo contato.

Sinceramente,
Lawrence Buzanfa

Para: melissa.albans@rmail.com
De: johnwill@phillipsacademy.edu
Cc: lbuzanfa@beecherschool.edu; amandawill@copperbeech.org
Assunto: Re: Jack Will

Oi, Melissa,

Obrigado por ser tão compreensiva com relação ao incidente com Jack. Como você já sabe, ele está muito arrependido do que fez. Espero que aceite nossa oferta de pagar a conta do dentista de Julian.

Estamos muito tocados por sua preocupação no que diz respeito à amizade de Jack com August. Saiba que perguntamos a Jack se ele se sente pressionado com relação a isso e sua resposta foi um não categórico. Ele gosta da companhia de August e acha que fez um bom amigo.

Feliz Ano-novo!
John e Amanda Will

Oi, August,

Jacklope Will quer ser seu amigo no Facebook.

Jacklope Will
32 amigos em comum
Obrigado,
A equipe do Facebook

Para: auggiebobipullman@email.com
Assunto: Desculpe!!!!!!
Mensagem:

Oi august. Sou eu, Jack Will. Percebi que não to mais na sua lista de amigos. Espero q vc me add de novo, pq sinto muito. Só queria dizer isso.

171

Desculpa. Agora sei pq vc ficou chateado cmg. Sinto muito. Não queria dizer aquilo. Fui idiota. Espero que vc me perdoe

Tomara q a gente possa ser amigo de novo

Jack

1 nova mensagem
De: AUGUST
31 dez 4:47PM
recebi sua msg vc sabe pq estou chateado? a Summer contou?

1 nova mensagem
De: JACKWILL
31 dez 4:49PM
Ela deu a dica "pânico" mas não entendi de primeira depois lembrei que vi uma máscara do pânico na sala no Halloween. não sabia q era vc achei que vc fosse de Boba Fett.

1 nova mensagem
De: AUGUST
31 dez 4:51PM
Mudei de ideia na última hora. Vc bateu msm no Julian?

1 nova mensagem
De: JACKWILL
31 dez 4:54PM
Sim bati nele e arranquei um dente. De leite.

1 nova mensagem
De: AUGUST
31 dez 4:55PM
pq vc bateu nele???????

1 nova mensagem
De: JACKWILL
31 dez 4:56PM
n sei

1 nova mensagem
De: AUGUST
31 dez 4:58PM
mentira. aposto q ele falou alguma coisa de mim

1 nova mensagem
De: JACKWILL
31 dez 5:02PM
ele é um idiota. mas eu tb fui. desculpa mesmo pelo q falei cara. podemos ser amigos
de novo?

1 nova mensagem
De: AUGUST
31 dez 5:03PM
ok.

1 nova mensagem
De: JACKWILL
31 dez 5:04PM
irado!!!!

1 nova mensagem
De: AUGUST
31 dez 5:06PM
mas me diz a verdade, tá?
vc se mataria de verdade se fosse eu???

1 nova mensagem
De: JACKWILL
31 dez 5:08PM
não!!!!!
juro pela minha vida
mas cara...
eu ia querer me matar se fosse o Julian ;)

1 nova mensagem
De: AUGUST
31 dez 5:10PM
lol
sim cara somos amigos de novo.

De volta das férias

Apesar do que o Sr. Buzanfa disse, não houve um "novo começo" quando voltei para a escola em janeiro. Na verdade, as coisas ficaram completamente estranhas desde o instante em que cheguei ao meu armário, pela manhã. Eu estava perto do Amos, que sempre foi um garoto bem legal, e perguntei "E aí?". Ele apenas assentiu com a cabeça, fechou o armário e foi embora. Achei isso meio bizarro. Então falei "E aí?" para o Henry, que simplesmente olhou para outro lado, sem dar nem um sorrisinho.

Certo, então algo estava acontecendo. Ignorado por duas pessoas em menos de cinco minutos. Não que eu estivesse contando. Pensei em tentar mais uma vez, com o Tristan, e, bingo!, foi a mesma coisa. Ele até pareceu nervoso, como se estivesse com medo de falar comigo.

Eu agora tinha uma espécie de praga, pensei. Essa era a vingança do Julian.

E as coisas foram assim a manhã inteira. Ninguém falou comigo. Mentira: as meninas agiram normalmente. E o August falou comigo, claro. E, na verdade, os dois Max também, o que me deixou um pouco mal por nunca, nem uma vez, ter andado com eles, nos cinco anos em que estudamos na mesma turma.

Esperava que o almoço fosse melhor, mas não foi. Sentei na mesa de sempre, com o Luca e o Isaiah. Como eles não eram do grupo dos superpopulares, e sim dos atletas, que ficava "no meio do caminho", achei que estaria seguro com eles. Mas, quando falei oi, eles mal me cumprimentaram com um aceno de cabeça. Aí, quando nossa mesa foi chamada, eles pegaram a comida e não voltaram. Vi os dois se sentarem do outro lado do refeitório. Não na mesa do Julian, mas bem perto, como às margens da popularidade. De todo modo, eu havia sido dispensado. Sabia que mudar de mesa era normal no quinto ano, mas nunca tinha pensado que aconteceria comigo.

Foi mesmo horrível ficar sozinho. Eu sentia que todos estavam me olhando. Isso também me fez achar que não tinha amigos. Decidi não almoçar e ir para a biblioteca.

A guerra

Foi a Charlotte quem me deu a dica de por que todo mundo estava me ignorando. Encontrei um bilhete no meu armário no fim do dia:

Vá para a sala 301 logo depois das aulas.
Sozinho! Charlotte.

Ela já estava lá quando cheguei.

— E aí? — falei.

— Oi. — Ela foi até a porta, olhou para os dois lados, depois a fechou e trancou. Então se virou para me encarar e começou a roer a unha enquanto falava. — Olha, estou chateada com o que está acontecendo e só queria dizer o que eu sei. Prometa que não vai dizer a ninguém que fui eu que contei.

— Prometo.

— A questão é que o Julian deu um festão de fim de ano durante as férias. Tipo, *gigante* mesmo. Uma amiga da minha irmã fez o baile de debutante no mesmo lugar ano passado. Foram umas duzentas pessoas. Tipo, o lugar é *enorme*.

— Sim, e daí?

— Sim, e... bem, praticamente todo mundo do quinto ano estava lá.

— Nem todo mundo — brinquei.

— Certo, nem todo mundo. Dã. Mas, tipo, até os pais estavam lá, sabe? Meus pais foram. Você sabe que a mãe do Julian é vice-presidente do conselho escolar, não sabe? Então ela conhece *muitas* pessoas. Então, o que aconteceu na festa foi que o Julian saiu falando para todo mundo que você bateu nele porque tem problemas emocionais...

— O quê?!

— E que você teria sido expulso, mas que seus pais imploraram para que a escola não fizesse isso...

— O quê?!

— E que nada disso teria acontecido se o Sr. Buzanfa não tivesse obrigado você a ser amigo do Auggie. Ele disse que a mãe dele acha que você, abre aspas, perdeu a cabeça com a pressão, fecha aspas...

Eu não podia acreditar no que estava ouvindo.

— Ninguém acreditou nisso, certo? — perguntei.

Ela deu de ombros.

— A questão não é essa. A questão é que ele é muito popular. E, sabe, minha mãe ouviu dizer que a mãe dele está tentando obrigar a diretoria a reavaliar a entrada do August na escola.

— Ela pode fazer isso?

— É porque a Beecher não é uma escola inclusiva, ou seja, que mistura alunos normais com alunos que têm necessidades especiais.

— Isso é idiotice. O August não tem necessidades especiais.

— É, mas ela está alegando que, se a escola está mudando a forma como costuma fazer as coisas...

— Mas eles não mudaram nada!

— Mudaram, sim. Você não percebeu que eles trocaram o tema do trabalho de artes de Ano-novo? Nos anos anteriores, os alunos do quinto ano pintaram autorretratos, mas este ano eles nos fizeram pintar aqueles retratos ridículos de nós como animais, lembra?

— Grande coisa!

— Eu sei! Não estou dizendo que concordo, só o que ela está falando.

— Eu sei, eu sei. Isso é tão errado...

— Eu sei. Enfim, o Julian disse que acha que a amizade com o Auggie está prejudicando você e que, para seu próprio bem, você tem que parar de andar tanto com ele. Daí, se você começasse a perder todos os seus antigos amigos, isso seria um grande alerta. Então, basicamente, para seu próprio bem, ele vai deixar de ser seu amigo.

— Tenho uma novidade: parei de ser amigo dele antes!

— Sim, mas ele convenceu todos os meninos a deixarem de ser seus amigos... para o seu próprio bem. Por isso ninguém está falando com você.

— Você está falando comigo.

— Sim, bem, é uma coisa dos meninos — explicou ela. — As meninas estão se mantendo neutras. Com exceção do grupo da Savanna, porque elas namoram os garotos do grupo do Julian. Mas, para todas as outras, essa é uma guerra dos meninos.

Assenti. Ela inclinou a cabeça de lado e fez um biquinho, como se estivesse com pena de mim.

— Tudo bem eu ter contado tudo isso para você? — perguntou.

— Claro! Não me importo com quem fala comigo ou não — menti. — Isso é tudo uma grande bobagem.

Ela concordou com a cabeça.

— Ei, o Auggie está sabendo disso?

— Claro que não. Pelo menos, eu não contei.

— E a Summer?

— Acho que não. Olha, tenho que ir. E, só para você saber, minha mãe acha que a mãe do Julian é uma completa idiota. Disse que pessoas como ela estão mais preocupadas com uma foto bonita da turma do filho do que com fazer o que é certo. Você soube do Photoshop, não soube?

— Sim, foi nojento.

— Totalmente — disse ela, assentindo. — Bem, tenho que ir. Só queria que você soubesse o que está acontecendo.

— Obrigado, Charlotte.

— Se eu ouvir mais alguma coisa, falo com você.

Antes de sair, ela olhou para os dois lados do corredor, para ter certeza de que ninguém a veria. Acho que, embora estivesse neutra, não queria ser pega comigo.

Trocando de mesa

No almoço do dia seguinte, eu, idiota, me sentei à mesa com Tristan, Nino e Pablo. Achei que talvez não tivesse problema porque eles não eram muito populares, mas também não jogavam D&D no recreio. Eles eram meio mais ou menos. E, a princípio, pensei que tivesse funcionado, porque eles eram legais demais para simplesmente ignorar minha presença quando me aproximei da mesa. Mas então aconteceu como na véspera: nossa mesa foi chamada, eles pegaram a comida e foram para outro lugar, do outro lado do refeitório.

Infelizmente, a Sra. G., que estava supervisionando o almoço nesse dia, viu o que aconteceu e foi atrás deles. "Isso não é permitido, meninos!", repreendeu-os em voz alta. "Esta escola não é assim. Voltem já para a sua mesa."

Ah, ótimo. Como se isso fosse ajudar. Antes que eles fossem obrigados a voltar para a mesa, eu me levantei com minha bandeja e saí bem depressa. Percebi a Sra. G. me chamando, mas fingi que não ouvi e continuei andando para o lado oposto, atrás do balcão de almoço.

"Vem sentar com a gente, Jack!"

Era a Summer. Ela e o August estavam à mesa deles, e os dois acenavam para mim.

Por que não me sentei com o August no primeiro dia de aula

Certo, sou completamente hipócrita. Eu sei. Lembro-me de ver o August no refeitório no primeiro dia de aula. Todo mundo estava olhando para ele. Falando dele. Naquela época ninguém estava acostumado com seu rosto nem sabia que ele ia estudar na Beecher, por isso a maioria das pessoas levou um grande susto ao vê-lo.

Então, quando o vi indo para o refeitório à minha frente, sabia que ele não tinha com quem se sentar, mas não tive coragem de fazer nada. Eu tinha passado a manhã inteira com ele, porque tínhamos muitas aulas juntos, e acho que queria um pouco de tempo para ficar com o restante do pessoal. Então, quando o vi indo para uma mesa do outro lado do balcão de serviço, intencionalmente escolhi outra o mais longe possível. Sentei-me com o Isaiah e o Luca, mesmo sem nunca ter visto os dois antes, passamos o tempo todo falando de beisebol, depois jogamos basquete no recreio. Desde então eles se tornaram meu grupo do almoço.

Ouvi dizer que a Summer havia se sentado com August, o que me surpreendeu porque eu sabia que ela não era um dos alunos a quem o Sr. Buzanfa tinha pedido que fossem amigos do Auggie. Então eu sabia que ela estava fazendo aquilo *só* para ser legal e achei muito corajoso.

Agora ali estava eu, sentado com a Summer e o August, e eles estavam sendo superlegais comigo, como sempre. Contei-lhes tudo o que a Charlotte havia me dito, exceto a parte de eu ter "perdido a cabeça" por causa da pressão de ser amigo do Auggie, a parte sobre a mãe do Julian estar dizendo que o August tem necessidades especiais e a parte sobre o conselho escolar. Acho que, na verdade, só contei que o Julian deu uma festa nas férias e conseguiu pôr todo o quinto ano contra mim.

— É tão estranho — comentei — as pessoas não falarem com você, fingirem que você não existe.

August abriu um sorriso.

— Acha mesmo? — perguntou, sarcástico. — Bem-vindo ao meu mundo!

Grupos

— Então esses são os grupos oficiais — disse a Summer à mesa do almoço no dia seguinte.

Ela pegou uma folha de papel dobrada e a abriu. Havia três colunas com nomes.

Grupo do Jack	Grupo do Julian	Neutros
August	*Miles*	*Malik*
Reid	*Henry*	*Remo*
Max G	*Amos*	*Jose*
Max W	*Simon*	*Leif*
	Tristan	*Ram*
	Pablo	*Ivan*
	Nino	*Russell*
	Isaiah	
	Luca	
	Jake	
	Toland	
	Roman	
	Ben	
	Emmanuel	
	Zeke	
	Tomaso	

— Onde você conseguiu isso? — perguntou o Auggie, olhando por cima do meu ombro enquanto eu lia a lista.

— Foi a Charlotte que fez — disse a Summer, depressa. — Ela me deu na última aula. Disse que acha que você deveria saber quem está do seu lado, Jack.

— É, não é muita gente, com certeza — falei.

— O Reid está — disse a Summer. — E os dois Max.

— Ótimo. Os nerds estão do meu lado.

— Não seja mau — repreendeu ela. — A propósito, acho que a Charlotte gosta de você.

— É, eu sei.

— Você vai chamá-la para sair?

— Está brincando? Não posso, agora que todos estão agindo como se eu tivesse a praga.

Assim que as palavras saíram da minha boca, percebi que não deveria ter dito aquilo. Houve um momento constrangedor de silêncio. Olhei para o Auggie.

— Tudo bem — disse ele. — Eu já sabia.

— Foi mal, cara — falei.

— Mas não sabia que eles chamavam de praga. Achei que fosse algo como o Toque do Queijo, ou algo assim.

— Ah, é, como em *Diário de um banana* — assenti.

— A praga realmente soa melhor — zombou ele. — Como se alguém pudesse pegar a "peste negra da feiura". — Ao dizer isso, ele fez sinal de aspas com os dedos.

— Acho horrível — comentou a Summer, mas o Auggie deu de ombros, tomando um gole de suco.

— De todo modo, não vou chamar a Charlotte para sair — falei.

— Minha mãe acha que somos muito novos para namorar — disse a Summer.

— E se o Reid chamasse você? — perguntei. — Você aceitaria?

Dava para ver que ela estava surpresa.

— Não!

— É só uma pergunta — falei, rindo.

Ela balançou a cabeça e sorriu.

— Por quê? O que você sabe?

— Nada! Só estou perguntando!

— Na verdade, concordo com minha mãe. Acho que somos muito novos para namorar. Quer dizer, não entendo por que a pressa.

— É, também acho — disse o August. — O que é uma pena, sabe, com todas essas gatinhas se jogando em cima de mim e tudo mais...

Ele disse isso de um jeito tão engraçado que o leite que eu estava tomando saiu pelo meu nariz quando ri, o que nos fez cair ainda mais na gargalhada.

A casa do August

Já estávamos na metade de janeiro e nem sequer havíamos escolhido o tema do nosso projeto para a feira de ciências. Acho que fiquei adiando porque não queria fazer isso. Por fim, o August disse: "Cara, temos que fazer o projeto." Então fomos à casa dele depois da escola.

Eu estava muito nervoso porque não sabia se o August tinha contado aos pais sobre o que chamávamos de "o incidente do Halloween". Acontece que o pai dele não estava e a mãe tinha saído para resolver algumas coisas na rua. Mas tenho certeza, pelos dois segundos em que falei com ela, que o August nunca disse uma palavra sobre aquilo. Ela foi superlegal e amigável comigo.

Quando entrei no quarto do August pela primeira vez, foi tipo:

— Uau, Auggie, você é mesmo viciado em *Star Wars*.

Ele tinha prateleiras cheias de miniaturas de *Star Wars*, e um enorme pôster de *O império contra-ataca* na parede.

— Eu sei — disse ele, rindo.

Ele se sentou em uma cadeira de rodinhas perto da escrivaninha e eu me joguei em um pufe no canto. Foi então que o cachorro deles veio todo animado para o quarto, direto para cima de mim.

— Ele estava no cartão de Natal! — falei, deixando-o cheirar minha mão.

— Ela — corrigiu ele. — Daisy. Pode fazer carinho. Ela não morde.

Quando comecei a fazer carinho nela, a cachorrinha praticamente rolou e ficou de barriga para cima.

— Ela quer que você coce a barriga dela.

— Sério, esse é o bichinho mais fofo que já vi — falei.

— Não é? É a melhor cachorrinha do mundo. Não é, garota?

Assim que ouviu o Auggie falar desse jeito, ela começou a balançar o rabo e foi para perto dele.

— Quem é minha garotinha? Quem é minha garotinha? — perguntava o Auggie enquanto ela lambia a cara dele toda.

— Eu queria ter um cachorro — falei. — Mas meus pais acham que nosso apartamento é pequeno demais. — Comecei a olhar as coisas no quarto enquanto ele ligava o computador. — Ei, você tem um Xbox 360? Podemos jogar?

— Cara, viemos aqui para fazer o projeto de ciências.

— Você tem Halo?

— É claro que tenho.

— Por favor, vamos jogar?

Ele havia se conectado ao site da Beecher e estava olhando a lista dos projetos de ciências da Sra. Rubin.

— Você consegue ver daí? — perguntou Auggie.

Suspirei e fui sentar em um banco do lado dele.

— Que iMac maneiro — falei.

— Qual o seu computador?

— Cara, eu não tenho nem meu próprio quarto, que dirá um computador para mim. Meus pais tem um Dell velho que já está praticamente morto.

— Certo, o que você acha desse? — disse ele, virando a tela para que eu pudesse ver. Dei uma olhada rápida na página e meus olhos literalmente começaram a embaçar. — Um relógio de sol. Parece legal.

Eu me inclinei para trás.

— Não podemos apenas fazer um vulcão?

— Todo mundo faz vulcões.

— Porque é fácil, cara — falei, fazendo carinho na Daisy de novo.

— Que tal fazer cristais com sais de banho?

— Parece chato — respondi. — Por que o nome dela é Daisy?

Ele não tirou os olhos da tela.

— Foi minha irmã que escolheu. Eu queria chamá-la de Darth. Na verdade, o nome completo dela é Darth Daisy, mas nunca a chamamos assim.

— Darth Daisy! É engraçado! Oi, Darth Daisy — falei para a cadela, que rolou de costas de novo para que eu coçasse sua barriga.

— Certo, vai ser esse aqui — disse August, apontando para a tela, que mostrava a imagem de um monte de batatas com arames espetados.

— Como criar uma bateria orgânica com batatas. É legal. Aqui diz que podemos acender uma lâmpada com isso. Poderíamos chamar de "Senhor Lâmpada de Batata" ou algo assim. O que acha?

— Cara, parece muito difícil. Você sabe que sou péssimo em ciências.

— Pare com isso, não é nada!

— Sou, sim! Tirei 54 no último teste. Sou péssimo em ciências!

— Não é! E isso só aconteceu porque ainda estávamos brigados e eu não estava ajudando você. Posso ajudá-lo agora. É um projeto legal, Jack. Temos que fazê-lo.

— Tudo bem. Tanto faz — falei e dei de ombros.

Nesse momento alguém bateu à porta. Uma adolescente com cabelos compridos e ondulados enfiou a cabeça no quarto. Ela não esperava me ver.

— Ah, oi — falou para nós dois.

— Oi, Via — disse o August, voltando a olhar para o computador. — Via, esse é o Jack. Jack, essa é a Via.

— Oi — falei, acenando.

— Oi — disse a irmã dele, olhando para mim com atenção.

No instante em que o Auggie disse meu nome, percebi que ele havia lhe contado tudo o que eu tinha dito sobre ele. Dava para ver pelo modo como ela me olhou. Na verdade, o modo como ela me olhou me fez pensar que se lembrava de mim daquele dia na sorveteria da Amesfort Avenue, tantos anos antes.

— Auggie, tenho um amigo que quero apresentar a você, ok? — disse ela. — Ele vai chegar em alguns minutos.

— É seu novo *namorado*? — provocou August.

Via chutou o assento da cadeira dele.

— Seja legal — ela falou e saiu do quarto.

— Cara, sua irmã é linda — comentei.

— Eu sei.

— Ela me odeia, né? Você contou a ela sobre o incidente do Halloween?

— Sim.

— Sim, ela me odeia ou sim, você contou a ela sobre o Halloween?

— As duas coisas.

187

O namorado

Dois minutos depois, a irmã dele voltou com um garoto chamado Justin. Parecia um cara bem legal. Cabelos meio compridos. Oclinhos redondos. Ele carregava um estojo prateado brilhante e comprido, com uma das extremidades mais fina.

— Justin, esse é meu irmão mais novo, August — disse Via. — E esse é o Jack.

— Oi, meninos — falou o Justin, apertando nossas mãos. Ele parecia um pouco nervoso. Talvez porque estivesse encontrando o August pela primeira vez. Às vezes esqueço como é chocante a primeira vez. — Que quarto maneiro.

— Você é o namorado da Via? — perguntou o Auggie, com malícia, e a irmã abaixou o boné dele, cobrindo seu rosto.

— O que tem nesse estojo? — falei. — Uma metralhadora?

— Rá! Essa foi boa — disse o namorado. — Não é um... hum... violino.

— Justin é violinista — falou a Via. — Ele toca em uma banda de *zydeco*.

— O que raios é *zydeco*? — indagou o Auggie, olhando para mim.

— É um tipo de música — respondeu o Justin. — Como música crioula.

— O que é isso? — perguntei.

— Você devia dizer às pessoas que é uma metralhadora — sugeriu o Auggie. — Ninguém nunca ia mexer com você.

— É, acho que você tem razão — disse o Justin, assentindo e botando o cabelo para trás da orelha. — É um tipo de música da Louisiana.

— Você é de lá? — perguntei.

— Hum... Não — respondeu ele, empurrando os óculos para cima. — Sou do Brooklyn.

Não sei por que isso me deu vontade de rir.

— Venha, Justin — disse a Via, puxando-o pela mão. — Vamos para o meu quarto.

— Certo, vejo vocês mais tarde, garotos. Tchau — disse ele.

— Tchau!

— Tchau!

Assim que eles saíram do quarto, Auggie olhou para mim, sorrindo.

— Sou do Brooklyn — falei, e nós dois começamos a rir histericamente.

Parte cinco

Justin

Às vezes acho que minha cabeça é assim tão grande
porque é muito cheia de sonhos.
— John Merrick, em *O homem elefante*, de Bernard Pomerance

O irmão da Olivia

tenho que admitir que, da primeira vez que vi o irmão mais novo da olivia, fiquei completamente surpreso.

não deveria, é claro. a olivia tinha me falado sobre a "síndrome" dele. tinha até descrito como ele era. mas também havia falado sobre todas as cirurgias pelas quais tinha passado ao longo dos anos, então meio que deduzi que ele teria uma aparência mais normal agora, como quando uma criança que nasce com lábio leporino faz cirurgia plástica e depois não dá nem para notar, exceto pela pequena cicatriz acima da boca. achei que o irmão dela teria algumas cicatrizes aqui e ali. mas não esperava isso. definitivamente, não esperava ver esse menininho com boné de beisebol que está sentado na minha frente bem agora.

na verdade, há dois meninos: um é totalmente normal, com cabelos louros e cacheados, e se chama jack; o outro é o auggie.

prefiro achar que consigo esconder minha surpresa. espero que sim. no entanto, surpresa é uma daquelas emoções que pode ser difícil disfarçar, tanto quando você quer parecer surpreso e não está quanto quando você está e não quer demonstrar.

aperto a mão dele. aperto a mão do outro garoto. não quero focar em seu rosto.

que quarto legal, digo.

você é o namorado da via?, pergunta ele. acho que está sorrindo.

olivia empurra o boné de beisebol dele para baixo.

isso é uma metralhadora?, pergunta o garoto louro, como se eu não tivesse escutado a pergunta anterior. e conversamos um pouco sobre *zydeco*. então a via pega minha mão e me tira do quarto. assim que fechamos a porta, ouvimos os dois rindo.

sou do brooklyn!, diz um deles.

a olivia revira os olhos e sorri.

vamos para o meu quarto, diz ela.

estamos namorando há dois meses. desde o momento em que a vi, no instante em que ela se sentou à nossa mesa no refeitório, eu soube que gostava dela. não conseguia desviar os olhos. realmente linda. pele morena e os olhos mais azuis que já vi na vida. no início ela agia como se só quisesse ser minha amiga. acho que ela passa essa impressão sem nem se dar conta. fica afastada. não se importa. não paquera como as outras garotas fazem. quando fala com você, ela olha diretamente nos olhos, como se o estivesse desafiando. então eu apenas fiquei olhando nos olhos dela também, como se a desafiasse de volta. depois a chamei para sair e ela aceitou, o que foi o máximo.

via é uma garota incrível e eu adoro ficar com ela.

ela não me falou sobre o august até nosso terceiro encontro. acho que usou a expressão "anormalidade crânio-facial" para descrever o rosto dele. ou talvez tenha sido "anomalia crânio-facial". sei que não usou a palavra "deformado", pois eu teria gravado isso.

então, o que você achou?, pergunta ela, nervosa, assim que entramos no quarto. ficou chocado?

não, minto.

ela sorri e olha para outro lado.

você está chocado.

não estou, garanto. ele é exatamente como você disse.

ela assente e se joga na cama. é meio fofo o fato de ela ainda ter um monte de bichos de pelúcia na cama. sem pensar, ela pega um deles, um urso-polar, e o põe no colo.

sento em uma cadeira de escritório perto da escrivaninha. o quarto é muito organizado.

quando eu era pequena, diz ela, um monte de crianças nunca veio brincar aqui uma segunda vez. e estou falando de *muitas* crianças. tive até amigos que não vinham às minhas festas de aniversário por causa dele. nunca me disseram isso, mas de alguma forma eu sempre ficava sabendo. algumas pessoas simplesmente não sabem lidar com o auggie, entende?

concordo.

era como se elas nem percebessem que estavam sendo cruéis, acrescenta ela. mas só estavam assustadas. quer dizer, vamos encarar os fatos, o rosto dele é mesmo assustador, não é?

acho que sim, respondo.

mas tudo bem por você? pergunta ela de um jeito doce. você não está muito horrorizado? ou assustado?

não estou. sorrio.

ela balança a cabeça e baixa os olhos para o urso-polar em seu colo. não sei se acredita em mim. então ela dá um beijo no nariz do urso e o joga na minha direção com um sorrisinho. acho que isso significa que acreditou. ou, pelo menos, que quer acreditar.

Dia dos namorados

dou a olivia um colar de coração de presente de dia dos namorados, e ela me dá uma bolsa carteiro que fez com disquetes. muito legal ela fazer coisas desse tipo. brincos com partes de placas de circuito. vestidos com camisetas. bolsas com calças jeans velhas. ela é tão criativa! digo que ela devia ser uma artista, mas ela quer ser cientista. geneticista. quer descobrir a cura para pessoas como o irmão, acho.

fazemos planos para eu, enfim, conhecer seus pais. um restaurante mexicano na amesfort avenue perto da casa dela no sábado à noite.

passo o dia inteiro nervoso. e, quando fico nervoso, tenho tiques. quer dizer, sempre tenho tiques, mas não são mais como quando eu era pequeno: agora são apenas algumas piscadas mais fortes, uma mexida de cabeça de vez em quando. mas, quando fico estressado, eles pioram — e estou definitivamente estressado com a ideia de conhecer os pais dela.

quando chego ao restaurante, eles estão esperando lá dentro. o pai se levanta e aperta minha mão. a mãe me dá um abraço. cumprimento o auggie com um soquinho e dou um beijo no rosto da olivia antes de me sentar.

é um prazer conhecê-lo, justin! ouvimos falar muito de você!

os pais dela não poderiam ser mais legais. me deixaram à vontade de cara. o garçom traz o cardápio e percebo sua expressão ao ver o august. acho que esta noite todos estamos fingindo não notar as coisas. o garçom. meus tiques. o modo como o august quebra as tortillas na mesa e leva as migalhas à boca. olho para a olivia e ela sorri para mim. ela vê a cara do garçom. vê meus tiques. a olivia é uma garota que vê tudo.

passamos o jantar inteiro conversando e rindo. os pais dela me perguntam sobre minha música, sobre como comecei a tocar violino e coisas assim. conto que costumava tocar música clássica, mas me interessei pela cultura apalache e depois por *zydeco*. eles ouvem cada palavra como se realmente estivessem interessados e me pedem que avise da próxima vez que minha banda for se apresentar, para que possam assistir.

para ser sincero, não estou acostumado a receber tanta atenção. meus pais não têm a menor ideia do que eu quero fazer da vida. nunca perguntam. nunca conversamos desse jeito. acho que eles nem sabem que troquei meu violino barroco por um de oito cordas dois anos atrás.

depois do jantar, vamos à casa da olivia tomar sorvete. a cadela deles nos recebe à porta. é velha. superdoce. no entanto, vomitou todo o corredor. a mãe da olivia corre para pegar papel-toalha, enquanto o pai pega a cadela no colo, como se fosse um bebê.

o que houve, garota?, pergunta ele, e a cadela fica nas nuvens, com a língua pendurada, abanando o rabo, as pernas no ar em ângulos estranhos.

pai, conte ao justin como você pegou a daisy, diz a olivia.

é!, concorda o auggie.

o pai sorri e se senta em uma cadeira, ainda com a cadela nos braços. está claro que ele já contou essa história mil vezes e todos adoram ouvi-la.

um dia, estou saindo do metrô e vindo para casa, diz ele, e um mendigo que eu nunca tinha visto na vizinhança está empurrando uma vira-lata em um carrinho de bebê. então ele chega perto de mim e pergunta, ei, senhor, quer comprar meu cachorro? e, sem nem pensar, eu digo, claro, quanto você quer? ele diz dez pratas, então dou a ele os vinte dólares que tenho na carteira e ele me entrega o cachorro. justin, eu aposto que você nunca viu nada tão fedido na vida! ela fedia tanto que não dá nem para descrever! então, dali, eu a levei direto para a veterinária mais à frente na rua e depois a trouxe para casa.

nem me ligou antes, por sinal!, intervém a mãe, limpando o chão, para ver se eu concordava com o fato de ele trazer para casa um cachorro de rua.

a cadela realmente olha para a mãe enquanto ela diz isso, como se entendesse tudo o que estavam falando sobre ela. é uma cachorrinha feliz, como se soubesse a sorte que tivera naquele dia, ao encontrar essa família.

meio que entendo como ela se sente. gosto da família da olivia. eles riem bastante.

minha família, definitivamente, não é assim. meus pais se separaram quando eu tinha quatro anos e se odeiam. cresci passando metade das semanas no apartamento do meu pai em chelsea e a outra metade na casa da minha mãe, em brooklyn heights. tenho um meio-irmão cinco anos

197

mais velho que mal sabe que eu existo. desde quando lembro, sinto como se meus pais mal pudessem esperar que eu fosse grande o bastante para cuidar de mim mesmo. "você pode ir à loja sozinho." "aqui está a chave do apartamento." é engraçado que exista a palavra superprotetores para descrever alguns pais, mas nenhuma para se referir ao oposto. que palavra se usa para pais que não protegem os filhos o suficiente? subprotetores? negligentes? egoístas? péssimos? todas as anteriores.

na família da olivia eles dizem "amo você" uns para os outros o tempo todo.

não me lembro da última vez que alguém da minha família me disse isso.

quando fui para casa, todos os meus tiques haviam sumido.

Nossa cidade

estamos montando a peça *nossa cidade* para a apresentação de primavera deste ano. a olivia me desafiou a me candidatar ao papel principal, o do diretor, e de algum modo eu consegui. pura sorte. nunca tinha conseguido o papel principal em nada. disse para a olivia que ela me dá sorte. infelizmente, ela não conseguiu o principal papel feminino, de emily gibbs. foi a miranda, a menina do cabelo rosa, que ficou com ele. a olivia pegou um papel menor e também é a substituta da emily. na verdade, estou mais desapontado que a olivia. ela parece quase aliviada. não gosto que as pessoas fiquem olhando para mim, diz, o que é meio estranho vindo de uma garota tão bonita. parte de mim acha que ela foi mal nos testes de propósito.

a apresentação de primavera é no final de abril. agora estamos no meio de março, então tenho menos de seis semanas para decorar minhas falas. além de ensaiar. e de treinar com minha banda. além das provas finais. e de passar algum tempo com a olivia. sem dúvida serão seis semanas difíceis. o sr. davenport, o professor de teatro, já está louco com essa coisa toda. vai ter nos enlouquecido quando tudo isso acabar, não tenho dúvida. ouvi boatos de que ele pretendia montar *o homem elefante*, mas no último minuto mudou para *nossa cidade*, e isso nos custou uma semana de ensaios.

não estou ansioso pela loucura do próximo mês e meio.

Joaninha

olivia e eu estamos sentados na varanda da casa. ela está me ajudando com minhas falas. é uma tarde quente de março, quase parece verão. o céu ainda está bem azul, mas o sol já baixou e sombras compridas se projetam nas calçadas.

estou recitando: sim, o sol nasceu milhares de vezes. verões e invernos fenderam um pouco mais as montanhas e as chuvas fizeram deslizar a terra. bebês que antes nem eram nascidos já começaram a formar frases completas; e muitas pessoas que se achavam jovens e ágeis notaram que já não podiam subir um lance de escadas como antes, sem que o coração disparasse um pouco...

balanço a cabeça. não me lembro do resto.

tudo o que pode acontecer em mil dias, lembra a olivia, lendo o roteiro.

isso, isso, falo, balançando a cabeça. suspiro. estou exausto, olivia. como vou me lembrar de todas essas falas, droga?

você vai, responde ela, confiante. ela estende os braços e fecha as mãos em concha em volta de uma joaninha que apareceu do nada. está vendo? um sinal de sorte, diz, levantando lentamente a mão que estava por cima para revelar a joaninha andando na palma da outra mão.

sorte ou só o calor, brinco.

claro que é sorte, diz ela, observando a joaninha subir pelo pulso. devia haver algo sobre fazer um pedido a uma joaninha. o auggie e eu fazíamos isso com vaga-lumes quando éramos pequenos. ela fecha a mão em volta da joaninha de novo. vamos, faça um pedido. feche os olhos.

obedeço. após um longo momento, volto a abrir os olhos.

fez um pedido?, pergunta ela.

fiz.

ela sorri, abre a mão, e a joaninha, como se entendesse a deixa, abre as asas e voa para longe.

você não quer saber o que eu pedi?, pergunto, dando um beijo nela.

não, responde olivia, tímida, olhando para o céu, que nesse exato momento está da cor de seus olhos.

também fiz um pedido, diz, em tom de mistério, mas há tantas coisas que ela poderia pedir que não tenho ideia do que pode ter sido.

O ponto de ônibus

a mãe da olivia, o auggie, o jack e a daisy chegam na varanda no momento em que estou me despedindo da olivia. um pouco constrangedor, pois estamos no meio de um beijo bem demorado.

oi, diz a mãe, fingindo que não viu nada, mas os dois garotos estão rindo.

oi, sra. pullman.

por favor, justin, me chame de isabel, pede ela de novo.

é a terceira vez que ela me diz isso, então realmente tenho que começar a chamá-la assim.

estou indo para casa, digo, como que para me explicar.

ah, você vai para o metrô?, pergunta ela, seguindo a cadela com um jornal. pode acompanhar o jack até o ponto de ônibus?

sem problema.

tudo bem por você, jack?, pergunta isabel, e ele dá de ombros. justin, você pode ficar com ele até o ônibus chegar?

claro!

todos nos despedimos. a olivia pisca para mim.

não precisa ficar comigo, diz o jack enquanto subimos o quarteirão. pego ônibus sozinho o tempo todo. a mãe do august é muito superprotetora.

ele tem a voz grave e baixa, como um garotinho durão. parecia um daqueles garotos patifes de filmes antigos, em preto e branco, talvez devesse estar usando uma boina de jornaleiro e calções.

chegamos ao ponto e o quadro de horários diz que o próximo ônibus vai chegar em oito minutos.

vou esperar com você, digo.

você é quem sabe. ele dá de ombros. tem um dólar? quero chiclete.

pego um dólar no bolso e o observo atravessar a rua e ir até uma mercearia na esquina. ele parece muito pequeno para andar por aí sozinho. então penso que quando tinha aquela idade já pegava o metrô. novo demais. um dia serei um pai superprotetor, eu sei. meus filhos saberão que eu me importo com eles.

faz um ou dois minutos que estou esperando quando vejo três garotos subindo o quarteirão, vindo da outra direção. eles passam direto pela mercearia, mas um deles olha para dentro e cutuca os outros dois, todos voltam e fazem o mesmo. sei que não têm boas intenções, pelo modo como se cutucam com os cotovelos, rindo. um deles é da altura do jack, mas os outros são muito maiores, parecem adolescentes. eles se escondem atrás do balcão de frutas na frente da loja e, quando o jack sai, vão atrás dele, fazendo barulhos altos, como se estivessem vomitando. o jack se vira casualmente na esquina para ver quem são e eles saem correndo, trocando *high-fives* e rindo. merdinhas.

jack atravessa a rua como se nada tivesse acontecido e para ao meu lado no ponto de ônibus, fazendo uma bola com o chiclete.

são seus amigos? pergunto por fim.

rá, diz ele. tenta sorrir, mas dá para ver que está chateado. só alguns idiotas da minha escola, fala. um garoto chamado julian e seus dois gorilas, henry e miles.

eles enchem você, assim, sempre?

não, nunca tinham feito isso. se fizessem isso na escola seriam expulsos. o julian mora a duas quadras daqui, então acho que só dei azar de esbarrar com ele.

ah, certo. assinto.

não é nada de mais, garante ele.

nós dois olhamos automaticamente para a rua, para ver se o ônibus está vindo.

nós meio que estamos em guerra, diz ele após um minuto, como se isso explicasse tudo. então pega uma folha de papel amassada do bolso da calça e a entrega para mim. eu a desdobro e vejo uma lista de nomes divididos em três colunas. ele pôs todos os garotos do quinto ano contra mim, diz o jack.

nem todos, digo, olhando para a lista.

ele deixa bilhetes no meu armário dizendo coisas tipo *todo mundo odeia você*.

você deveria contar para um professor.

203

o jack olha para mim como se eu fosse um idiota e balança a cabeça.

de qualquer jeito, há todos esses neutros, digo, apontando para a lista. se você conquistá-los para o seu lado, as coisas vão melhorar um pouco.

é, bem, isso vai mesmo acontecer, diz ele, sarcástico.

por que não?

ele me lança outro olhar como se eu fosse o cara mais idiota com quem já falou.

o que foi?, pergunto.

ele balança a cabeça como se eu não tivesse jeito. digamos apenas, ele fala, que sou amigo de alguém que não é exatamente o garoto mais popular da escola.

então, de repente, eu entendo o que ele não está dizendo às claras: o august. tudo isso é porque ele é amigo do august. e não quer me falar nada porque sou namorado da irmã dele. é claro, faz sentido.

vemos o ônibus descendo a amesfort avenue.

bem, apenas aguente firme, digo a ele, devolvendo o papel. essa época é horrível, mas depois melhora. vai dar tudo certo.

ele dá de ombros e enfia a lista de volta no bolso.

nós acenamos quando ele entra no ônibus, e vejo o veículo se afastar.

quando chego à estação de metrô a duas quadras dali, vejo os mesmos três garotos em frente a uma padaria. eles ainda estão rindo todos animados, como se fossem membros de uma gangue, garotos riquinhos, vestidos com calças skinny caras e bancando os durões.

não sei o que dá em mim, mas tiro os óculos, guardo-os no bolso, e coloco o estojo do violino debaixo do braço, com a parte pontuda para cima. ando na direção deles, de cara amarrada, um olhar malvado. eles olham para mim, as risadas morrendo em seus lábios ao me verem, as casquinhas de sorvete em ângulos estranhos.

ouçam aqui. não mexam com o jack, falo muito devagar, rangendo os dentes, a voz durona como a do clint eastwood. se mexerem com ele de novo, vão se arrepender *de verdade*.

então dou um tapinha no estojo do violino, para causar impacto.

entenderam?

eles balançam a cabeça ao mesmo tempo, o sorvete pingando em suas mãos.

bom. assinto misteriosamente depois desço as escadas do metrô, dois degraus de cada vez.

Ensaio

a peça vem tomando a maior parte do meu tempo, pois a noite da estreia está perto. muitas falas para lembrar. longos trechos de monólogo, em que só eu falo. a olivia, porém, teve uma grande ideia que está me ajudando. levo o violino para o palco e toco um pouco enquanto falo. não foi escrito assim, mas o sr. davenport acha que o fato de o protagonista tocar violino dá um toque especial. e para mim é ótimo, porque sempre que preciso de um segundo para me lembrar da próxima fala começo a tocar "soldier's joy", e isso me dá tempo.

passei a conhecer melhor as pessoas da peça, especialmente a garota de cabelo rosa que interpreta a emily. acontece que ela não é tão metida quanto eu achava que seria por conta da multidão com quem anda. o namorado é um atleta grandalhão e popular no meio esportivo da escola. é um mundo com o qual não tenho nada a ver, então fico meio surpreso com o fato de a miranda ser legal.

um dia estamos sentados no chão da coxia, esperando os técnicos consertarem um dos holofotes.

há quanto tempo você e olivia estão namorando?, pergunta ela, do nada.

uns quatro meses, respondo.

você conheceu o irmão dela?, diz em tom casual.

isso é tão inesperado que não consigo esconder minha surpresa.

você conhece o irmão da olivia?, pergunto.

a via não contou para você? éramos muito amigas. conheço o auggie desde que ele era bebê.

ah, sim, acho que eu já sabia, sim, respondo. não quero que ela saiba que a olivia não me contou nada disso. não quero demonstrar toda a minha surpresa com o fato de ela chamá-la de via. ninguém além da família chama a olivia de via, e aqui está a garota de cabelo rosa, que eu achava que era uma estranha, chamando-a assim.

a miranda ri e balança a cabeça, mas não diz nada. há um silêncio constrangedor e então ela começa a remexer na bolsa e pega sua carteira. olha algumas fotografias e me entrega uma. é de um garotinho no parque, em um dia de sol. ele está de short e camiseta — e um capacete de astronauta que esconde toda a sua cabeça.

devia estar fazendo uns cem graus nesse dia, diz ela, sorrindo para a foto. mas ele não tirava esse capacete por nada. ele o usou por uns dois anos direto, no inverno, no verão, na praia. era uma loucura.

é, vi fotos na casa da olivia.

fui eu que dei o capacete a ele, diz.

parece um pouco orgulhosa disso. pega a foto e a guarda cuidadosamente na carteira.

legal, respondo.

então você não tem problema com isso?, pergunta ela, olhando para mim.

eu a olho sem entender.

problema com o quê?

ela ergue as sobrancelhas como se não acreditasse em mim.

você sabe do que estou falando, diz, e toma um grande gole de sua garrafa d'água. vamos encarar os fatos, continua, o universo não foi legal com auggie pullman.

Pássaro

por que você não me contou que era amiga de miranda navas?, pergunto para a olivia no dia seguinte.

estou realmente chateado por ela não ter comentado.

não é nada de mais, responde ela, na defensiva, olhando para mim como se eu fosse esquisito.

é, sim, digo. fiquei com cara de idiota. como pôde não me contar? você sempre agiu como se não a conhecesse.

eu não a conheço, responde ela depressa. não sei quem é aquela líder de torcida de cabelo rosa. a garota que eu conhecia era uma boboca que colecionava bonecas.

ah, por favor, olivia.

por favor, você!

você poderia ter mencionado isso em algum momento, digo baixinho, fingindo não notar a lágrima pesada que de repente está rolando por seu rosto.

ela dá de ombros, tentando segurar as lágrimas.

tudo bem, não estou zangado, digo, pensando que o choro é por minha causa.

sinceramente, não me importo se você está zangado, diz ela com maldade.

ah, isso é muito bacana, disparo de volta.

ela não diz nada. as lágrimas estão prestes a rolar.

olivia, qual é o problema?, pergunto.

ela balança a cabeça como se não quisesse falar do assunto, mas, de repente, as lágrimas saem, incontroláveis.

desculpe, não é você, justin. não estou chorando por sua causa, diz ela por fim, entre lágrimas.

então por que está chorando?

porque sou uma pessoa horrível.

do que você está falando?

ela não me olha e seca as lágrimas com a palma da mão.

não falei com meus pais sobre a peça, diz depressa.

balanço a cabeça, porque não entendo bem o que ela está dizendo.

tudo bem, digo. não é tarde demais, ainda há ingressos disponíveis...

não quero que eles vão, justin, interrompe ela, impaciente. você não entende o que estou dizendo? não quero que eles vão! se forem, vão levar o auggie, e não quero...

nesse momento ela tem outro acesso de choro que não a deixa terminar de falar. eu a abraço.

sou uma pessoa horrível!, diz ela, em prantos.

não é, não, falo baixinho.

sou, sim! ela soluça. tem sido tão legal estar em uma escola nova, onde ninguém sabe sobre ele, entende? ninguém fica cochichando sobre isso pelas minhas costas. tem sido tão bom, justin! mas, se ele for à peça, então todo mundo vai falar disso, todo mundo vai saber... não sei por que estou me sentindo assim... juro que nunca tive vergonha dele antes.

eu sei, eu sei, digo, tentando acalmá-la. você tem esse direito, olivia. passou por tanta coisa a vida inteira...

a olivia às vezes me lembra um pássaro, de penas eriçadas quando ela está chateada. e, quando ela está frágil desse jeito, parece um passarinho perdido à procura do ninho.

então deixo que se esconda debaixo da minha asa.

O Universo

não consigo dormir à noite. minha cabeça está cheia de pensamentos que não desligam. trechos dos meus monólogos. elementos da tabela periódica que eu deveria estar decorando. teoremas que eu deveria entender. a olivia. o auggie.

as palavras da miranda não saem da minha mente: o universo não foi legal com auggie pullman.

pensei muito nisso e em tudo o que significa. ela está certa. o universo não foi legal com auggie pullman. o que aquele garotinho fez para merecer essa sentença? o que os pais dele fizeram? ou a olivia? uma vez ela mencionou que um médico disse aos pais dela que a probabilidade de alguém ter a combinação de síndromes que resultou no rosto do auggie é de uma em quatro milhões. então isso não faz do universo uma loteria gigantesca? você compra um bilhete quando nasce. e é só um acaso ter um bilhete bom ou ruim. é questão de sorte.

minha mente gira com isso, mas então surgem pensamentos mais suaves, como um terceiro violino em uma sinfonia de cordas. não, não é tudo um acaso. se fosse, o universo nos abandonaria à própria sorte. e o universo não faz isso. ele cuida das suas criações mais frágeis de formas que não vemos. como com pais que amam cegamente. e uma irmã mais velha que se sente culpada por ser humana com relação a você. e um garotinho de voz grave que perdeu os amigos por sua causa. e até uma garota de cabelo rosa que carrega sua foto na carteira. talvez seja uma loteria, mas o universo deixa tudo certo no final. o universo cuida de todos os seus pássaros.

Parte seis

August

Que obra-prima é o homem! quão nobre na razão! quão infinito na capacidade! como é expressivo e admirável na forma e nos movimentos! nas ações parece um anjo! na apreensão é como um deus! a beleza do mundo!...
— Shakespeare, *Hamlet*

Polo Norte

O Senhor Lâmpada de Batata foi um grande sucesso na feira de ciências. Jack e eu tiramos A no projeto. Foi o primeiro A dele desde o início do ano, por isso ele ficou muito animado.

Todos os projetos da feira foram expostos em mesas no ginásio. Foi igual ao Museu Egípcio de dezembro, só que desta vez havia vulcões e esculturas de moléculas no lugar de pirâmides e faraós. E, em vez de pegarmos nossos pais e levá-los para ver os objetos, tínhamos que ficar nas mesas enquanto eles andavam pela exposição e vinham até nós, um a um.

A matemática é a seguinte: sessenta alunos no quinto ano equivalem a sessenta casais de pais — isso sem contar os avós. Então, pelo menos cento e vinte pares de olhos pousaram em mim. Olhos que não estão tão acostumados comigo quanto os dos filhos. É como a agulha da bússola, que sempre aponta para o norte, não importa para que lado você esteja virado. Todos aqueles olhos eram bússolas, e eu era como o polo norte para eles.

É por isso que continuo a não gostar dos eventos escolares que incluem pais. Não os odeio como no início do ano. Como no Festival de Ação de Graças: aquele foi o pior, acho. Foi a primeira vez em que tive que encarar todos os pais ao mesmo tempo. O Museu Egípcio foi logo em seguida, mas nesse correu tudo bem, porque me vesti de múmia e ninguém me notou. Depois houve o concerto de inverno, que foi um horror total porque tive que cantar no coro. Não só não sei cantar nada, como me senti em uma vitrine. A exposição de artes do Ano-novo não foi tão ruim, mas ainda assim foi chato. Puseram todos os trabalhos nos corredores de toda a escola e os pais foram ver. Ter tantos pais desavisados passando por mim nas escadas foi como estar de volta ao início do ano letivo.

De todo modo, não é que eu me importe com o modo como as pessoas reagem a mim. Já disse um *zilhão* de vezes: estou acostumado com isso a esta altura. Não deixo que me incomode. É como quando você sai e está chuviscando. Você não calça galochas por causa de um chuvisco. Nem sequer abre o guarda-chuva. Você anda na garoa e mal percebe que o cabelo está ficando molhado.

Mas, quando há um ginásio enorme cheio de pais, a garoa se transforma numa tempestade. Os olhares de todo mundo atingem você como um paredão de água.

A mamãe e o papai passaram muito tempo perto da minha mesa, com os pais do Jack. É engraçado como os pais acabam formando os mesmos grupinhos que seus filhos. Por exemplo, meus pais, os pais do Jack e a mãe da Summer se gostam e ficam juntos. E vejo os pais do Julian com os do Henry e os do Miles. Até os pais dos dois Max andam juntos. É tão engraçado...

Falei sobre isso com a mamãe e o papai mais tarde, enquanto caminhávamos de volta para casa, e eles acharam que era uma observação curiosa.

"Acho que é verdade que os semelhantes se procuram", disse a mamãe.

Auggie Doll

Por um tempo, só falamos da "guerra". Fevereiro foi quando as coisas ficaram piores. Praticamente ninguém falava conosco e o Julian tinha começado a deixar bilhetes nos nossos armários. Os bilhetes para o Jack eram idiotas, como: *Você fede a queijo podre!* e *Ninguém gosta mais de você!*

Recebi bilhetes do tipo: *Aberração!* E outro que dizia: *Saia da nossa escola, ogro!*

A Summer achava que devíamos falar dos bilhetes com a Sra. Rubin, nossa coordenadora, ou mesmo com o Sr. Buzanfa, mas achamos que isso seria dedurá-los. Além do mais, não é como se nós também não deixássemos bilhetes, embora os nossos não fossem cruéis. Eram engraçados e sarcásticos.

Um deles foi: *Você é tão lindo, Julian! Eu amo você. Quer casar comigo? Com carinho, Beulah*

Outro foi: *Adoro seu cabelo! bjs Beulah*

E outro: *Você é uma gracinha. Faça cosquinha nos meus pés. bj Beulah*

Beulah era uma pessoa que eu e Jack criamos. Ela tem hábitos muito nojentos, como comer a sujeira verde que fica entre os dedos dos pés e chupar os nós dos dedos. E achamos que alguém assim seria caidinha pelo Julian, que parecia e agia como um garoto de comercial.

Em fevereiro também houve algumas vezes em que o Julian, o Miles e o Henry pregaram peças no Jack. Eles não faziam isso comigo porque sabiam que, se fossem pegos praticando "bullying" comigo, teriam um grande problema. O Jack era um alvo mais fácil. Então uma vez roubaram o short de ginástica dele e ficaram brincando de bobinho com ele no vestiário. Outra vez, o Miles, que se senta perto do Jack na aula de orientação, surrupiou a folha do Jack da mesa dele, fez uma bola de papel e a jogou para o Julian, do outro lado da sala. Isso não teria acontecido se a Sra. Petosa estivesse lá, é claro, mas nesse dia estávamos com um professor substituto, e eles nunca sabem muito bem o que está acontecendo. O Jack lidava bem com essas coisas. Nunca os deixava notar que estava chateado, embora às vezes eu ache que ele estava.

Os outros garotos do quinto ano sabiam da guerra. Com exceção do grupo da Savanna, as meninas se mantiveram neutras de início. Mas, em março, já estavam ficando cheias disso, assim como alguns dos garotos. Uma vez, quando o Julian estava virando o apontador de lápis na mochila do Jack, o Amos, que em geral andava com eles, arrancou a mochila das mãos dele e a devolveu para o Jack. Começava a parecer que a maioria dos garotos não estava mais do lado do Julian.

Então, há algumas semanas, o Julian começou a espalhar um boato ridículo de que o Jack havia contratado um "matador" para "pegar" ele, o Miles e o Henry. Era uma mentira tão patética que as pessoas chegavam a rir pelas costas dele. Aí todos os garotos que ainda estavam do seu lado pularam fora e ficaram claramente neutros. Assim, no fim de março, apenas o Miles e o Henry continuavam com o Julian — e acho que até eles já estavam se cansando da guerra.

Também tenho quase certeza de que pararam de fazer a brincadeira da praga pelas minhas costas. Ninguém mais se encolhe quando esbarra em mim, e as pessoas pegam meus lápis emprestados sem agir como se eles tivessem piolhos.

De vez em quando, até brincam comigo. Como no dia em que vi a Maya escrevendo um bilhete para a Ellie em um papel de carta dos Uglydolls e, não sei por quê, simplesmente falei:

— Você sabia que o cara que criou os Uglydolls se inspirou em mim?

Maya me encarou com os olhos arregalados, como se acreditasse de verdade no que eu tinha dito. Então, quando percebeu que eu só estava brincando, achou que tinha sido a melhor piada do mundo.

— Você é tão engraçado, August! — falou.

Depois ela contou para a Ellie e algumas outras meninas o que eu tinha dito, e todas também me acharam engraçado. No início ficaram chocadas, mas, depois, quando viram que eu estava rindo, perceberam que não tinha problema se rissem também. Aí, no dia seguinte, encontrei um chaveirinho dos Uglydolls na minha mesa com um bilhetinho da Maya que dizia: *Para o Auggie Doll mais legal do mundo! Bj Maya.*

Seis meses antes, coisas como essa não aconteceriam de jeito nenhum, mas agora são cada vez mais frequentes.

Além disso, as pessoas têm sido muito legais com relação aos aparelhos auditivos que comecei a usar.

Lobot

Desde que eu era pequeno, os médicos diziam aos meus pais que um dia eu iria precisar de aparelhos auditivos. Não sei por que isso sempre me assustou um pouco; talvez porque tudo que tenha a ver com minhas orelhas me incomode bastante.

Minha audição piorava, mas não falei sobre isso com ninguém. O barulho do mar que sempre estava em minha cabeça vinha ficando mais alto. Estava abafando a voz das outras pessoas, como se eu estivesse debaixo d'água. Se me sentasse no fundo da sala, não conseguia ouvir os professores, mas sabia que, se conversasse com o papai e a mamãe sobre isso, ia acabar usando os aparelhos — e eu tinha esperanças de terminar o quinto ano sem que isso acontecesse.

Mas então, durante o check-up anual de outubro, fui mal no teste audiométrico e o médico disse que havia chegado a hora. Ele me encaminhou para um especialista em otologia, que tirou os moldes das minhas orelhas.

De todas as minhas características, as orelhas são o que eu mais detesto. Elas são como minúsculos punhos cerrados nas laterais do meu rosto. Também ficam muito para baixo na cabeça. Parecem uns pedaços de massa de pizza amassados saindo do alto do meu pescoço ou algo assim. Certo, talvez eu esteja exagerando um pouquinho. Mas realmente odeio as minhas orelhas.

Quando o otologista mostrou o aparelho para mim e para a mamãe pela primeira vez, eu gemi.

— Não vou usar isso — anunciei, cruzando os braços.

— Sei que parecem meio grandes — disse o médico —, mas temos que prendê-los ao arco, porque não há outro modo de fazer com que fiquem nos seus ouvidos.

Veja bem, os aparelhos auditivos normais têm uma parte que fica presa atrás da orelha, para manter a parte interna no lugar. Mas, no meu caso, como não tenho a orelha, o médico teve que prender os fones em um arco pesado que fica na parte de trás da cabeça.

— Não posso usar isso, mãe — choraminguei.

— Você mal vai notá-los — disse a mamãe, tentando me animar. — Parecem fones de ouvido.

— Fones de ouvido? Olhe para isso, mãe! — falei, zangado. — Vou ficar igual ao Lobot.

— Quem é Lobot? — perguntou ela, calma.

— Lobot? — O otologista sorriu enquanto olhava para os fones e fazia alguns ajustes. — De *O império contra-ataca*? O careca com aquele radio-transmissor biônico maneiro que passa por trás da cabeça?

— Não estou lembrando — disse a mamãe.

— Você conhece coisas de *Star Wars*? — perguntei ao médico.

— Se eu conheço coisas de *Star Wars*? — respondeu ele, colocando aquilo na minha cabeça. — Eu praticamente inventei esse negócio de *Star Wars*! — Ele se recostou na cadeira para ver como o arco estava e em seguida o tirou. — Agora, Auggie, quero explicar o que é tudo isto — disse, apontando para as diferentes partes de um dos aparelhos. — Esta peça de plástico curva se conecta com o canal auditivo. Foi por isso que tiramos moldes em dezembro, e é por isso que essa parte que fica den-tro da orelha se encaixa bem e é confortável. Esta parte aqui se chama gancho de som, ok? E esta aqui é a parte especial que encaixamos nesse suporte aqui...

— A parte Lobot — falei, sofrido.

— Ei, o Lobot é legal — disse o otologista. — Não é como se você fosse ficar parecido com o Jar Jar, sabe? Isso seria ruim. — Ele deslizou os fones pela minha cabeça outra vez, com cuidado. — Aí está, August. Que tal?

— Totalmente desconfortável! — falei.

— Você vai se acostumar bem rápido — disse ele.

Eu me olhei no espelho. Meus olhos começaram a lacrimejar. Tudo o que eu via eram aqueles tubos sobressaindo nos lados da minha cabeça como se fossem antenas.

— Tenho mesmo que usar isso, mãe? — perguntei, tentando não cho-rar. — Odeio esse negócio. Não fez nenhuma diferença.

— Espere um segundo, garoto — disse o médico. — Eu ainda nem liguei o aparelho. Espere até ouvir a diferença; você vai querer usá-los.

— Não vou, não!

E então ele o ligou.

Ouvindo claramente

Como descrever o que ouvi quando o médico ligou meu aparelho auditivo? Ou o que não ouvi? É muito difícil encontrar as palavras. O mar não estava mais dentro da minha cabeça. Havia sumido. Dava para ouvir os sons como luzes brilhantes na minha mente. Foi como estar em um quarto em que uma das lâmpadas no teto queimou — você não percebe como está escuro, até que alguém troca a lâmpada e você fica, tipo: "Uau, como está claro aqui!" Não sei se é aplicável, em termos de audição, a palavra "claro", mas acho que sim, porque agora eu estava ouvindo claramente.

— Que tal, Auggie? — perguntou o médico. — Consegue me ouvir bem?

Olhei para ele e sorri, mas não respondi.

— Querido, está ouvindo algo diferente? — disse a mamãe.

— Não precisa gritar, mãe — falei e assenti, feliz.

— Está ouvindo melhor? — indagou o otologista.

— Não ouço mais aquele barulho — respondi. — Está tão silencioso nas minhas orelhas!

— O ruído branco sumiu — disse ele, assentindo. Ele olhou para mim e piscou. — Eu falei que você ia gostar do que ouviria, August.

Ele fez mais alguns ajustes no aparelho do ouvido esquerdo.

— Está muito diferente, meu amor? — perguntou a mamãe.

— Sim. — Assenti. — Está... mais leve.

— É porque você agora tem audição biônica, meu amigo — disse o médico, ajustando o lado direito. — Agora toque aqui. — Ele pôs minha mão atrás do aparelho. — Está sentindo isso? É o volume. Precisa encontrar o volume ideal para você. É o que vamos fazer em seguida. Bem, o que acha? — Ele pegou um espelho pequeno e me fez olhar no espelho grande, mostrando como o aparelho ficava na parte de trás. Meu cabelo cobria quase todo o arco. A única parte visível eram os tubos. — Gostou dos seus novos aparelhos auditivos biônicos Lobot? — perguntou, olhando para mim pelo espelho.

— Sim — falei. — Obrigado.

— Muito obrigada, Dr. James — disse a mamãe.

No primeiro dia que apareci na escola com o aparelho achei que o pessoal ia fazer o maior alarde, mas ninguém fez nada. A Summer estava feliz por eu poder ouvir melhor e o Jack disse que eu estava parecendo um agente do FBI, ou algo assim. Mas foi só isso. O Sr. Browne me perguntou sobre o aparelho na aula de inglês, mas não foi algo do tipo: "Que diabo é isso na sua cabeça?!" Foi mais como: "Se você precisar que eu repita alguma coisa, Auggie, é só falar, ok?"

Agora, pensando bem, não sei por que fiquei tão estressado com isso. É engraçado como às vezes nos preocupamos muito com uma coisa e ela acaba não sendo nem um pouco importante.

O segredo da Via

Alguns dias depois do recesso de primavera, a mamãe descobriu que a Via não tinha contado sobre uma peça na escola que aconteceria na semana seguinte. E estava furiosa. Minha mãe não fica zangada com muita frequência (embora papai possa discordar disso), mas ela estava louca com a Via. As duas tiveram uma grande briga. Eu conseguia ouvi-las gritando uma com a outra no quarto da minha irmã. Meus ouvidos biônicos Lobot escutaram a mamãe dizendo:

— O que há com você ultimamente, Via? Você está temperamental, mal-humorada e cheia de segredos...

— Qual o grande problema em eu não falar de uma peça idiota? — a Via praticamente berrava. — Eu nem tenho falas!

— Seu namorado tem! Não quer que a gente o veja na peça?

— Não! Na verdade, não!

— Pare de gritar!

— Você gritou primeiro! Só me deixe em paz, ok? Você sempre conseguiu muito bem me deixar em paz, a vida toda, então não entendo por que escolheu justamente o ensino médio para começar a se interessar por mim...

Não sei o que minha mãe respondeu, porque tudo ficou muito silencioso e nem mesmo meus ouvidos biônicos Lobot conseguiram captar algum sinal.

Minha caverna

Na hora do jantar, elas pareciam ter feito as pazes. O papai ia trabalhar até mais tarde e a Daisy estava dormindo. Tinha vomitado várias vezes mais cedo, então a mamãe marcou uma consulta no veterinário na manhã seguinte.

Nós três estávamos à mesa, todo mundo em silêncio.

Por fim, eu disse:

— Então vamos assistir à peça do Justin?

A Via não respondeu, apenas baixou os olhos para o prato.

— Auggie, eu não sabia qual era a peça — disse a mamãe. — Acho que não é interessante para uma criança da sua idade.

— Quer dizer não estou convidado? — perguntei, olhando para a Via.

— Não foi isso que eu falei — respondeu a mamãe. — Só acho que você não iria gostar.

— Você ia ficar completamente entediado — falou a Via, como se me acusasse de alguma coisa.

— Você e o papai vão? — perguntei.

— O papai vai — disse minha mãe. — Eu vou ficar em casa com você.

— O quê? — gritou a Via. — Ah, ótimo. A minha punição por ser honesta vai ser você não ir?

— Para começar, você não queria que nós fôssemos, lembra? — retrucou a mamãe.

— Mas, agora que você já sabe, é claro que quero que vá!

— Bem, tenho que levar em consideração os sentimentos de *todo mundo* aqui, Via.

— Do que vocês estão falando? — gritei.

— De nada! — dispararam as duas ao mesmo tempo.

— É só uma coisa da escola da Via que não tem nada a ver com você — disse a mamãe.

— Você está mentindo — falei.

— Como é que é? — perguntou ela, meio chocada.

Até a Via parecia surpresa.

— Eu disse que você está mentindo! — gritei. — Você está mentindo! — berrei para a Via, me levantando. — Vocês são duas mentirosas! Estão mentindo na minha cara, como se eu fosse um idiota!

— Sente-se, Auggie! — disse a mamãe, segurando meu braço.

Eu me desvencilhei dela e apontei para a Via.

— Você acha que não sei o que está acontecendo? — berrei. — Você não quer que seus novos amigos maneiros da escola saibam que seu irmão é uma aberração!

— Auggie! — gritou a mamãe. — Isso não é verdade!

— Pare de mentir para mim, mãe! — berrei ainda mais alto. — Pare de me tratar como um bebê! Não sou retardado! Sei o que está acontecendo!

Corri até o meu quarto e bati a porta com tanta força que cheguei a ouvir pedacinhos da alvenaria se esfarelando no batente. Então me joguei na cama e puxei as cobertas até a cabeça. Cobri com os travesseiros a minha cara horrível e empilhei todos os meus bichos de pelúcia por cima, como se eu estivesse em uma pequena caverna. Se pudesse andar por aí o tempo todo com um travesseiro na cara, eu andaria.

Nem sei como fiquei tão zangado. Eu não estava assim no início do jantar. Não estava nem triste. Mas então, de repente, eu meio que explodi. Sabia que a Via não queria que eu fosse àquela peça idiota. E sabia por quê.

Imaginei que a mamãe entraria no quarto logo atrás de mim, mas ela não apareceu. Queria que me encontrasse na caverna de bichos de pelúcia, por isso esperei mais um pouco. Depois de dez minutos, ainda nada. Eu estava muito surpreso. Ela sempre vem ver o que está acontecendo quando estou no quarto chateado com alguma coisa.

Imaginei a mamãe e a Via conversando sobre mim na cozinha. A Via se sentindo muito, muito, muito mal. A mamãe a deixando superculpada. E o papai também zangado, quando chegasse em casa.

Abri um pequeno buraco na pilha de travesseiros e bichos de pelúcia e dei uma espiada no relógio na parede. Meia hora havia se passado e a mamãe ainda não tinha entrado no quarto. Tentei ouvir os ruídos

dos outros cômodos. Elas ainda estavam jantando? O que estava acontecendo?

Por fim, a porta se abriu. Era a Via. Ela nem se deu o trabalho de se aproximar da minha cama e não entrou de mansinho, como achei que faria. Entrou bem depressa.

Adeus

— Auggie — disse ela. — Venha depressa. A mamãe precisa falar com você.

— Não vou pedir desculpas!

— Não é sobre você! — gritou ela. — Nem tudo no mundo tem a ver com você, Auggie. Agora, corra. A Daisy está doente. Mamãe vai levá-la para uma emergência veterinária. Venha dizer adeus.

Tirei os travesseiros do rosto e olhei minha irmã. Foi então que vi que ela estava chorando.

— O que você quer dizer com "adeus"?

— Venha logo! — disse a Via, estendendo a mão.

Eu peguei a mão dela e a segui pelo corredor, até a cozinha. A Daisy estava deitada de lado no chão, com as pernas esticadas. Estava ofegante, como se tivesse corrido no parque. A mamãe estava ajoelhada ao lado dela, acariciando sua cabeça.

— O que houve? — perguntei.

— Ela começou a ganir de repente — disse a Via, ajoelhando-se junto da nossa mãe.

Olhei para a mamãe, que também estava chorando.

— Vou levá-la à clínica veterinária no centro da cidade — disse ela. — O táxi está vindo me buscar.

— O veterinário vai fazer a Daisy melhorar, não vai? — falei.

A mamãe olhou para mim.

— Espero que sim, querido — disse ela, baixinho. — Mas, sinceramente, não sei.

— É claro que vai! — falei.

— A Daisy tem andado muito doente, Auggie. E está velhinha...

— Mas eles podem curá-la — falei, olhando para a Via em busca de apoio, mas ela não olhou de volta.

Os lábios da mamãe tremiam.

— Acho que é hora de darmos adeus à Daisy, Auggie. Sinto muito.

— Não!

— Não queremos que ela sofra, Auggie — disse a mamãe.

O telefone tocou. Via atendeu:

— Tá, obrigada. — E então desligou. — O táxi está aí fora — anunciou, enxugando as lágrimas com as costas da mão.

— Tudo bem. Auggie, abre a porta para mim, querido? — pediu a mamãe, pegando a Daisy com muita gentileza, como se ela fosse um bebê grande e muito fraco.

— Não, mãe, por favor — gritei, parado na frente da porta.

— Querido, por favor, ela é muito pesada.

— Mas e o papai?

— Vai me encontrar na clínica. Ele também não quer que a Daisy sofra, Auggie.

A Via me tirou do caminho e abriu a porta para a mamãe.

— Se precisarem de alguma coisa, meu celular está ligado — disse ela para a Via. — Você consegue cobri-la com o cobertor?

A Via assentiu, mas estava chorando incontrolavelmente.

— Digam adeus à Daisy, crianças — pediu a mamãe, com as lágrimas escorrendo pelo rosto.

— Amo você, Daisy — disse a Via, beijando o focinho dela. — Amo tanto você.

— Tchau, garotinha... — sussurrei no ouvido da Daisy. — Amo você...

A mamãe atravessou a varanda com nossa cadela nos braços. O motorista do táxi tinha aberto a porta de trás, e nós a observamos entrar. Antes de fechar a porta, a mamãe olhou para nós, de pé à porta, e acenou. Acho que nunca a vi tão triste.

— Amo você, mamãe! — disse a Via.

— Amo você, mamãe! — falei. — Desculpe!

Ela jogou um beijo e bateu a porta do carro. Vimos o táxi partir e então a Via fechou a casa. Ela me olhou por um segundo e depois me deu um abraço muito, muito apertado, enquanto nós dois chorávamos um milhão de lágrimas.

Os brinquedos da Daisy

O Justin chegou cerca de meia hora depois. Ele me deu um grande abraço e disse:

— Sinto muito, Auggie.

A gente ficou sentado na sala de estar, sem dizer nada. Por algum motivo, a Via tinha recolhido todos os brinquedos da Daisy que estavam espalhados pela casa e empilhado na mesinha de centro. Agora estávamos simplesmente olhando para aquela pilha.

— Ela é mesmo a melhor cadela do mundo — disse a Via.

— Eu sei — concordou o Justin, fazendo carinho nas costas da minha irmã.

— Ela começou a ganir, assim de repente? — perguntei.

A Via assentiu.

— Uns dois segundos depois que você saiu da mesa. A mamãe ia atrás de você, mas a Daisy começou... tipo... a ganir.

— De que jeito? — insisti.

— Só ganir, não sei.

— Tipo uivando? — perguntei.

— Auggie, tipo ganindo! — respondeu ela, impaciente. — Ela só começou a choramingar, como se estivesse com muita dor. E estava bem ofegante. Depois, meio que desabou, e a mamãe foi até lá e tentou pegá-la no colo, e, enfim, ela obviamente estava com dor. Mordeu mamãe.

— O quê? — perguntei.

— Quando a mamãe tentou encostar na barriga dela, a Daisy mordeu a mão dela — explicou Via.

— A Daisy nunca morde ninguém! — retruquei.

— Ela estava fora de si — disse o Justin. — Estava claramente sentindo dor.

— O papai estava certo — disse a Via. — Não deveríamos ter deixado que ela chegasse a esse ponto.

— O que você quer dizer? — perguntei. — Ele sabia que ela estava doente?

— Auggie, a mamãe a levou ao veterinário umas três vezes nos últimos dois meses. Ela estava vomitando sem parar. Você não notou?

— Mas eu não sabia que ela estava doente!

A Via não disse nada, mas pôs o braço em volta dos meus ombros e me puxou para perto de si. Comecei a chorar de novo.

— Sinto muito, Auggie — falou baixinho. — Sinto muito por tudo, tá? Você me perdoa? Sabe quanto eu amo você, não sabe?

Assenti. De certo modo, aquela briga agora não tinha mais importância.

— A mamãe estava sangrando? — perguntei.

— Foi só um machucadinho — disse a Via. — Bem aqui.

Ela apontou para a base do polegar, mostrando onde exatamente a Daisy tinha mordido nossa mãe.

— Doeu?

— A mamãe está bem, Auggie.

Ela e o papai voltaram para casa duas horas depois. No instante em que abriram a porta e a Daisy não estava com eles, soubemos que ela tinha morrido. Todos nos sentamos na sala de estar, em volta da pilha de brinquedos. O papai nos contou o que tinha acontecido na clínica, como o veterinário a levara para fazer algumas radiografias e exames de sangue, depois voltou e disse a eles que tinha uma grande massa na barriga dela. A Daisy estava com dificuldade de respirar. A mamãe e o papai não queriam que ela sofresse, então o papai a pegou no colo, como sempre gostou de fazer, com as pernas estendidas no ar, ele e a mamãe lhe deram muitos beijos de despedida e conversaram baixinho com ela enquanto o veterinário aplicava uma injeção na pata. Depois de um minuto, ela morreu nos braços do papai. Ele disse que foi tudo muito sereno. Ela não sentiu dor nenhuma. Foi como se estivesse indo dormir. Enquanto falava, a voz do papai ficou embargada e ele precisou limpar a garganta algumas vezes.

Eu nunca tinha visto o papai chorar até aquela noite. Eu tinha ido ao quarto deles atrás da mamãe, para que ela me pusesse para dormir, mas vi o papai sentado na beira da cama, tirando as meias. Ele estava de costas para a porta, e não sabia que eu estava ali. A princípio, achei que estivesse rindo, porque seus ombros estavam balançando, mas então ele cobriu o rosto com as mãos e percebi que chorava. Era o choro mais silencioso que eu já tinha ouvido. Como um sussurro. Eu ia me aproximar, mas pensei que talvez ele estivesse chorando baixinho porque não queria que nem eu nem ninguém ouvisse. Então saí de lá, fui para o quarto da minha irmã e vi a mamãe deitada na cama, a seu lado, sussurrando para ela, que chorava.

Então fui para o meu quarto, vesti o pijama sem que ninguém mandasse, acendi a luz noturna e apaguei a do cômodo e entrei na pequena montanha de bichos de pelúcia que eu havia feito mais cedo. Parecia que tudo aquilo tinha acontecido um milhão de anos antes. Tirei o aparelho auditivo e o coloquei na mesinha de cabeceira, puxei as cobertas até as orelhas e imaginei a Daisy se aninhando junto a mim, sua língua grande e molhada lambendo meu rosto inteiro, como se fosse seu rosto favorito em todo o mundo. Foi assim que adormeci.

céu

Acordei mais tarde e ainda estava escuro. Saí da cama e fui para o quarto dos meus pais.

— Mamãe? — sussurrei. Estava a mais completa escuridão, então não pude vê-la abrir os olhos. — Mamãe?

— Você está bem, querido? — perguntou ela, grogue.

— Posso dormir com você?

A mamãe chegou para o lado do papai e eu me aninhei perto dela. Ela beijou minha cabeça.

— Está tudo bem com a sua mão? — perguntei. — A Via me disse que a Daisy mordeu você.

— Foi só um arranhão — sussurrou ela no meu ouvido.

— Mamãe... — Comecei a chorar. — Desculpe pelo que eu falei.

— Shhh... Não há por que se desculpar — disse ela, tão baixinho que eu mal consegui ouvir.

Ela estava esfregando a bochecha na minha.

— A Via tem vergonha de mim? — perguntei.

— Não, querido, não. Você sabe disso. Ela só está se adaptando a uma nova escola. Não é fácil.

— Eu sei.

— Eu sei que você sabe.

— Desculpe por ter chamado você de mentirosa.

— Durma, meu bem... Amo muito você.

— Também amo muito você, mamãe.

— Boa noite, querido — disse ela, bem baixinho.

— Mamãe, a Daisy está com a vovó agora?

— Acho que sim.

— Elas estão no céu?

— Estão.

— As pessoas continuam iguais quando vão para o céu?

— Não sei. Acho que não.

— Então como elas se reconhecem?

— Não sei, querido. — Ela parecia cansada. — Simplesmente sentem. Não precisamos dos olhos para amar, certo? Apenas sentimos dentro de nós. É assim no céu. É só amor. E ninguém se esquece de quem ama. — Ela me beijou de novo. — Agora durma, meu bem. Está tarde. Estou tão exausta...

Mas não consegui dormir, mesmo depois que percebi que ela havia adormecido. Eu também ouvia o papai dormindo, e imaginei que podia ouvir a Via dormindo no quarto dela, do outro lado do corredor. E imaginei se a Daisy estaria dormindo no céu naquele momento. Se estivesse, estaria sonhando comigo? Então pensei como seria estar no céu um dia e o meu rosto não importar mais. Como nunca, nunca teve importância para a Daisy.

Substituta

Alguns dias depois de a Daisy morrer, a Via trouxe três ingressos para a peça da escola. Nunca mais falamos da briga durante o jantar. Na noite da apresentação, pouco antes de ela e o Justin saírem, ela me deu um abraço apertado, disse que me amava e que tinha orgulho de ser minha irmã.

Aquela foi a primeira vez que fui à nova escola da Via. Era muito maior que a antiga e mil vezes maior que a minha. Mais corredores. Mais espaço para pessoas. A única coisa realmente ruim sobre meu aparelho auditivo biônico Lobot era que eu não podia mais usar bonés. Em situações como aquela, bonés são muito úteis. Às vezes eu gostaria de ainda poder usar o velho capacete de astronauta de quando era pequeno. Por incrível que pareça, as pessoas achavam que uma criança usar capacete de astronauta era muito menos estranho que o meu rosto. De todo modo, mantive a cabeça baixa enquanto andava atrás da mamãe pelos corredores longos e bem-iluminados.

Seguimos a multidão até o auditório, onde os alunos entregavam programas da peça na entrada. Encontramos assentos na quinta fileira, perto do meio. Assim que sentamos, a mamãe começou a revirar a bolsa dela.

— Não acredito que esqueci meus óculos! — falou.

O papai balançou a cabeça. Ela sempre esquecia os óculos, as chaves, ou alguma outra coisa. É distraída assim.

— Quer se sentar mais perto? — perguntou ele.

A mamãe apertou os olhos para ver o palco.

— Não, consigo enxergar bem daqui.

— Fale agora ou cale-se para sempre — disse papai.

— Estou bem — respondeu ela.

— Olhe, é o Justin — falei para o papai, apontando para a foto do namorado da minha irmã no programa.

— Boa foto — disse ele, assentindo.

— Por que não tem uma foto da Via? — perguntei.

— Ela é substituta — disse a mamãe. — Mas veja: aqui está o nome dela.

— O que é substituto? — perguntei.

— Uau, olhe a foto da Miranda — disse a mamãe para o papai. — Acho que eu não a reconheceria.

— O que é um substituto? — repeti.

— É um ator que substitui outro se, por algum motivo, ele não puder se apresentar.

— Você soube que o Martin vai se casar de novo? — perguntou o papai à mamãe.

— Você está brincando?! — Ela pareceu surpresa.

— Quem é Martin? — perguntei.

— É o pai da Miranda — respondeu a mamãe. Então perguntou ao papai: — Quem lhe contou?

— Encontrei com a mãe dela no metrô, que não está nada satisfeita com essa história. Ele está até esperando um bebê.

— Uau! — exclamou a mamãe, balançando a cabeça.

— Do que vocês estão falando? — perguntei.

— Nada — disse o papai.

Eu ia dizer mais alguma coisa, mas então as luzes diminuíram. A plateia ficou em silêncio muito depressa.

— Pai, você pode por favor não me chamar mais de Auggie Bobi? — sussurrei em seu ouvido.

Ele sorriu, assentiu e fez sinal de positivo com os polegares.

A cortina se abriu. A peça começou. O palco estava completamente vazio, exceto pelo Justin, que estava sentado em uma cadeira velha e bamba, afinando seu violino. Usava um terno meio antigo e chapéu de palha.

— Esta peça se chama *Nossa cidade* — falou para a plateia. — Foi escrita por Thornton Wilder; produzida e dirigida por Philip Davenport... O nome da cidade é Grover's Corners, em New Hampshire, logo após a fronteira de Massachusetts: latitude 42 graus e 40 minutos; longitude 70 graus e 37 minutos. O primeiro ato mostra um dia na cidade. Sete de maio de 1901. A hora é logo antes do amanhecer.

Soube de cara que ia gostar da peça. Não era como as outras peças de escola a que eu tinha assistido, como *O mágico de Oz* ou *Tá chovendo hambúrguer*. Não, essa parecia coisa de adulto, e me senti inteligente por estar sentado ali, acompanhando.

Um pouco mais adiante na história, uma personagem chamada Sra. Webb chama a filha, Emily. Eu tinha visto no programa que esse era o papel da Miranda, então me inclinei para a frente para vê-la melhor.

— É a Miranda — cochichou a mamãe para mim, estreitando os olhos para o palco quando Emily apareceu. — Ela está tão diferente!

— Não é a Miranda — sussurrei. — É a Via.

— Ah, meu Deus! — exclamou a mamãe, chegando para a frente na cadeira.

— Shhh! — censurou o papai.

— É a Via — sussurrou a mamãe para ele.

— Eu sei — respondeu ele, sorrindo. — Shhh!

O fim

A peça foi incrível. Não quero contar o fim, mas é do tipo que faz as pessoas na plateia chorarem. A mamãe perdeu totalmente o controle quando a Via, interpretando a Emily, disse:

"Adeus, adeus, mundo! Adeus, Grover's Corners... Mamãe e papai. Adeus aos relógios tiquetaqueando e aos girassóis de mamãe. A comida e café. A vestidos recém-passados e banhos quentes... a dormir e acordar. Ah, Terra, tu és maravilhosa demais para que alguém te compreenda!"

A Via estava chorando enquanto dizia isso. Lágrimas de verdade: dava para vê-las escorrendo pelo rosto. Foi incrível.

Depois que as cortinas se fecharam, todos na plateia começaram a aplaudir. Então os atores apareceram, um a um. A Via e o Justin foram os últimos e, quando surgiram, todos ficaram de pé.

— Bravo! — gritou o papai, com as mãos em concha na frente da boca.

— Por que todo mundo está se levantando?

— É uma ovação — disse a mamãe, também ficando de pé.

Então me levantei junto e aplaudi sem parar. Aplaudi até minhas mãos doerem. Por um segundo, imaginei como seria legal estar ali, no lugar da Via e do Justin, com toda aquela gente os aplaudindo de pé. Acho que devia haver uma regra que determinasse que todas as pessoas do mundo tinham que ser aplaudidas de pé pelo menos uma vez na vida.

Por fim, depois de não sei quanto tempo, a fileira de atores no palco deu um passo para trás e a cortina se fechou na frente deles. Os aplausos cessaram, as luzes foram acesas e a plateia começou a se mexer para sair.

Papai, mamãe e eu fomos até os bastidores. Uma multidão estava parabenizando os atores, cercando-os, dando tapinhas em suas costas. Vimos a Via e o Justin no centro daquilo tudo, sorrindo para todo mundo, rindo e conversando.

— Via! — gritou o papai, acenando enquanto abria caminho entre as pessoas. Quando chegou perto o bastante, ele a abraçou e a tirou um pouquinho do chão. — Você foi incrível, querida!

— Ah, meu Deus, Via! — gritava a mamãe, animada. — Ah, meu Deus! Ah, meu Deus!

Ela abraçou a Via tão apertado que achei que minha irmã fosse sufocar, mas ela estava rindo.

— Você estava brilhante! — disse o papai.

— Brilhante! — concordou a mamãe, meio que assentindo e balançando a cabeça ao mesmo tempo.

— E você, Justin — disse meu pai, apertando a mão dele e ao mesmo tempo o abraçando. — Foi fantástico!

— Fantástico! — repetiu a mamãe.

Na verdade, ela estava tão emocionada que mal conseguia falar.

— Que surpresa ver você lá em cima, Via! — disse o papai.

— A mamãe nem reconheceu você no início! — falei.

— Não reconheci! — disse a mamãe, tapando a boca com a mão.

— A Miranda passou mal antes de a peça começar — disse a Via, toda sem fôlego. — Não deu nem tempo de anunciar a substituição.

Devo dizer que ela parecia estranha, pois estava muito maquiada e eu nunca a tinha visto daquele jeito.

— E você simplesmente entrou no último minuto? — disse meu pai. —Uau!

— Ela estava maravilhosa, não estava? — falou o Justin, passando o braço pela cintura da Via.

— Não havia ninguém sem lágrimas nos olhos no teatro — comentou o papai.

— A Miranda está bem? — perguntei, mas ninguém me ouviu.

Naquele momento, um homem que achei ser o professor deles se aproximou batendo palmas.

— Bravo, bravo! Olivia e Justin!

Ele beijou a Via nas bochechas.

— Errei algumas falas — disse ela, balançando a cabeça.

— Mas você conseguiu seguir em frente! — respondeu o homem, sorrindo de orelha a orelha.

238

— Sr. Davenport, esses são meus pais — disse a Via.

— Devem estar orgulhosos de sua filha — disse ele, apertando a mão do papai e da mamãe.

— Estamos!

— E este é meu irmão mais novo, August.

Ele parecia prestes a dizer alguma coisa, mas congelou de repente ao me ver.

— Sr. D. — disse Justin, puxando-o pelo braço. — Venha conhecer minha mãe.

A Via ia me dizer alguma coisa, mas alguém se aproximou e começou a conversar com ela e, antes que eu percebesse, estava sozinho na multidão. Quer dizer, sabia onde o papai e a mamãe estavam, mas havia tanta gente à nossa volta, e as pessoas ficavam esbarrando em mim, me fazendo girar um pouco, me olhando duas vezes, e comecei a me sentir mal. Não sei se foi porque eu estava com calor ou algo assim, mas meio que estava tonto. Os rostos pareciam borrões. E as vozes eram tão altas que faziam meus ouvidos doerem. Tentei diminuir o volume do aparelho Lobot, mas me confundi e aumentei primeiro, o que meio que me deixou aturdido. Então olhei para cima e não vi a mamãe, o papai nem a Via em lugar nenhum.

— Via? — gritei. Comecei a abrir caminho pela multidão para encontrar a mamãe. — Mamãe! — Eu não conseguia ver nada além de barrigas e gravatas à minha volta. — Mamãe!

De repente alguém me pegou por trás.

— Olha só quem está aqui! — disse uma voz conhecida, abraçando-me com força.

A princípio pensei que fosse a Via, mas, quando me virei, fiquei completamente surpreso.

— Ei, Major Tom! — disse ela.

— Miranda! — respondi, e a abracei com toda a força.

Parte sete

MiRANDA

Eu esqueci que podia ver

Tantas coisas lindas

Eu esqueci que podia precisar

Descobrir o que a vida poderia trazer

— Andain, "Beautiful Things"

Mentiras de acampamento

Meus pais se divorciaram no verão anterior ao nono ano. Logo em seguida meu pai já estava com outra. Na verdade, embora minha mãe nunca tenha dito nada, acho que foi por isso que eles se separaram.

Depois do divórcio, quase não o vi mais. E minha mãe começou a agir de um modo mais estranho do que nunca. Não que ela estivesse instável nem nada: apenas distante. Afastada. Minha mãe é o tipo de pessoa que sorri para todos, mas não para mim. Nunca foi de falar muito comigo — não sobre seus sentimentos e sua vida. Não sei muito sobre como ela era na minha idade. Não sei do que ela gostava. As poucas vezes em que falava sobre os pais, que nunca conheci, era sobre como queria ficar longe deles assim que pudesse. Nunca me disse por quê. Perguntei algumas vezes, mas ela fingia que não me ouvia.

Eu não queria ir para o acampamento naquele verão. Queria ter ficado com ela, tê-la ajudado a superar o divórcio. Mas ela insistiu para que eu fosse embora. Imaginei que quisesse passar um tempo sozinha, então lhe dei isso.

O acampamento foi horrível. Achei que seria melhor, já que eu era monitora júnior, mas não. Nenhuma das pessoas do ano anterior tinha voltado, então eu não conhecia ninguém — nem uma pessoa sequer. Não sei bem por quê, mas comecei um faz de conta com as meninas do acampamento. Elas perguntavam sobre mim e eu inventava: meus pais estão na Europa. Moro em uma casa enorme em uma rua legal de North River Heights. Tenho uma cadela chamada Daisy.

Então um dia deixei escapar que tinha um irmão mais novo deformado. Não tenho a menor ideia de por que falei isso: simplesmente pareceu algo interessante a dizer. E, é claro, a reação das menininhas do bangalô foi dramática. Verdade? Que triste! Deve ser difícil! *Et cetera. Et cetera.* É claro que me arrependi daquelas palavras no momento em que escaparam dos meus lábios; eu me senti uma fraude. Se a Via algum dia descobrisse, ia achar que eu era uma louca. E eu me sentia como uma louca. Mas, tenho que admitir, havia parte de mim que se achava no direito de contar aquela mentira. Conheço o August desde que eu tinha seis anos. Eu o vi crescer. Brinquei com ele. Assisti a todos os seis episódios de *Star Wars* por causa dele, para que pudéssemos conversar sobre os aliens, os caçadores de recompensas e tudo o mais. Fui eu quem lhe deu o capacete de astronauta que ele não tirou da cabeça por dois anos. Quer dizer, eu meio que conquistei o direito de pensar nele como meu irmão.

E o mais estranho é que as mentiras que contei, as histórias, fizeram maravilhas pela minha popularidade. Os outros monitores juniores ficaram sabendo pelas crianças e enlouqueceram. Nunca na vida eu tinha sido considerada "popular" em nada, mas naquele acampamento de verão, por algum motivo, eu era a garota com quem todos queriam andar. Até mesmo as garotas do bangalô trinta e dois estavam completamente loucas por mim. Elas eram o topo da cadeia alimentar. Disseram que gostavam do meu cabelo (mas o mudaram). Disseram que gostavam do modo como eu me maquiava (embora tenham mudado isso também). Elas me ensinaram a transformar minhas camisetas em frente única. Fumamos. Escapamos tarde da noite e atravessamos a floresta até o acampamento dos garotos. Ficamos de bobeira com eles.

Quando voltei para casa, liguei para a Ella na mesma hora e combinei de encontrá-la. Não sei por que não liguei para a Via. Acho que simplesmente não estava a fim de falar com ela. Ela me perguntaria sobre meus pais e o acampamento. A Ella nunca perguntava nada. Nesse sentido, era mais fácil ser amiga dela. Ella não era séria como Via. Era divertida. Achou legal quando pintei o cabelo de rosa. Queria ouvir tudo sobre os passeios pela mata tarde da noite.

Escola

Quase não cruzei com a Via na escola este ano e, quando a encontrava, era constrangedor. Parecia que ela estava me julgando. Eu sabia que ela não gostava do meu novo visual. Sabia que não gostava dos meus amigos. E eu não gostava muito dos dela. Nunca chegamos a brigar: apenas nos afastamos. A Ella e eu falamos mal da Via uma para a outra: ela é tão careta, tão isso, tão aquilo... Sabíamos que estávamos sendo cruéis, mas seria mais fácil dar um gelo na Via se fingíssemos que ela havia feito algo com a gente. A verdade é que ela não tinha mudado em nada: nós é que mudamos. Éramos diferentes demais, e ela ainda era quem sempre foi. Isso me aborrecia tanto e eu nem sabia por quê.

De vez em quando, eu procurava ver onde ela estava sentada no refeitório, ou checava as listas das matérias eletivas para ver em quais ela havia se inscrito. Mas, exceto por alguns acenos de cabeça no corredor e um "oi" ocasional, nunca nos falávamos de fato.

Reparei no Justin no meio do ano. Eu nunca havia prestado atenção nele, só sabia que era um cara magrelo e bonitinho, de óculos grossos e cabelos meio compridos, que carregava um violino para cima e para baixo. Então um dia eu o vi na porta da escola, abraçado com a Via.

"Quer dizer que a Via tem um namorado!", falei para a Ella, meio zombando.

Não sei por que fiquei surpresa. De nós três, ela era sem dúvida a mais bonita: olhos muito azuis e cabelos escuros ondulados. Só que sempre agiu como se não estivesse nem um pouco interessada em garotos, como se fosse inteligente demais para esse tipo de coisa.

Eu também estava namorando: um cara chamado Zack. Quando falei para ele que ia escolher a eletiva de teatro, ele balançou a cabeça e disse: "Cuidado para não virar uma daquelas malucas."

Zack não é o cara mais simpático do mundo, mas é muito gato. Está lá em cima na hierarquia dos alunos. Atleta.

245

A princípio, eu não planejava fazer teatro. Então vi o nome da Via na lista de inscrições e simplesmente me inscrevi também. Nem sei por quê. Conseguimos nos evitar durante a maior parte do semestre, como se nem nos conhecêssemos. Um dia cheguei mais cedo à aula de teatro e o Davenport me pediu que tirasse cópias extras da peça que pretendia montar conosco para a apresentação de primavera: *O homem elefante*. Eu já ouvira falar do texto, mas não sabia sobre o que era, então comecei a folhear os roteiros enquanto esperava na copiadora. Era sobre um homem chamado John Merrick, que viveu há mais de cem anos e tinha uma deformação terrível. "Não podemos montar essa peça, Sr. D.", falei quando voltei para a sala, e lhe expliquei por quê. "Meu irmão mais novo tem um problema de nascença e seu rosto é deformado. Essa peça seria pesada demais."

Ele pareceu aborrecido e nem um pouco tocado, mas eu meio que falei que meus pais teriam um grande problema com o fato de a escola montar a tal peça. Por fim, acabamos encenando *Nossa cidade*.

Acho que me candidatei ao papel de Emily Gibbs porque sabia que a Via se candidataria também. Nunca imaginei que a derrotaria na disputa.

Do que sinto mais falta

Uma das coisas de que mais sinto falta com relação à amizade da Via é a família dela. Amo seus pais. Eles sempre me receberam bem e foram muito legais comigo. Eu sabia que eles amavam os filhos mais do que tudo. Sempre me senti segura perto deles, mais que em qualquer outro lugar do mundo. É patético eu me sentir mais segura na casa dos outros que na minha, não é? E, é claro, eu amava o Auggie. Nunca tive medo dele, nem mesmo quando era pequena. Tinha amigos que não acreditavam que eu frequentava a casa da Via.

— O rosto dele me dá arrepios — diziam.

— Vocês são idiotas — eu respondia.

O rosto do Auggie não é tão ruim depois que você se acostuma.

Uma vez liguei para a casa da Via só para falar com o Auggie. Talvez parte de mim tivesse esperança de que ela atendesse, não sei.

— Ei, Major Tom! — falei, usando o apelido pelo qual o chamava.

— Miranda! — Ele pareceu tão feliz de ouvir minha voz, que fiquei realmente surpresa. — Estudo em uma escola normal agora! — contou, muito animado.

— Sério? Uau! — falei, surpresa.

Acho que nunca imaginei que ele fosse entrar para a escola. Seus pais eram muito protetores. Pensei que ele seria para sempre aquele garotinho com o capacete de astronauta que eu lhe dera. Conversando, percebi que ele não tinha ideia de que eu e a Via não éramos mais próximas.

— É diferente no ensino médio — expliquei. — Você acaba andando com um monte de gente diferente.

— Tenho alguns amigos na escola nova — disse ele. — Um garoto chamado Jack e uma menina chamada Summer.

— Isso é maravilhoso, Auggie! Bem, só liguei para dizer que estou com saudades de você e que espero que tenha um bom ano. Pode me ligar sempre que quiser, Auggie, está bem? Sabe que sempre vou amar você.

— Também amo você, Miranda!

— Mande um oi para a Via por mim. Diga que sinto falta dela.

— Vou dizer. Tchau!

— Tchau!

Extraordinária, mas sem ninguém para ver

Nem minha mãe nem meu pai poderiam assistir à peça na noite de estreia: minha mãe tinha um compromisso no trabalho e a nova esposa do meu pai ia ter o bebê a qualquer momento, então ele tinha que ficar por perto.

O Zack também não poderia ir: tinha um jogo de vôlei contra o Collegiate e não podia faltar. Na verdade, queria que eu não participasse da estreia para ir torcer por ele. Todas as minhas "amigas" foram ao jogo, claro, porque os namorados delas eram do time. Nem a Ella foi me ver. Podendo escolher, ela optou pelo evento mais popular.

Então, na noite de estreia, ninguém nem remotamente próximo a mim estava lá. E a questão é que, lá pelo terceiro ou quarto ensaio, percebi que eu era boa nisso. Eu sentia o papel. Entendia as palavras que estava dizendo. Conseguia dizer as falas como se elas viessem da minha cabeça e do meu coração. E, naquela noite, posso dizer que eu sabia que seria mais do que boa: eu seria ótima. Seria extraordinária, mas sem ninguém lá para ver.

Todos estávamos nos bastidores, repassando mentalmente as falas, nervosos. Dei uma espiada pela cortina para ver as pessoas se acomodando nos assentos do auditório. Foi quando vi o Auggie vindo pelo corredor com a Isabel e o Nate. Eles ocuparam três cadeiras na quinta fila, perto do meio. O Auggie usava uma gravata-borboleta e olhava em volta, animado. Ele havia crescido um pouco desde a última vez que eu o vira, quase um ano antes. O cabelo estava mais curto e ele agora usava um tipo de aparelho auditivo. Seu rosto não mudara em nada.

O Sr. Davenport estava fazendo alguns ajustes de última hora com o cenógrafo. Vi o Justin andando de um lado para o outro em um canto dos bastidores, murmurando suas falas, nervoso.

— Sr. Davenport — chamei, surpreendendo a mim mesma. — Sinto muito, mas não posso me apresentar esta noite.

Davenport se virou devagar.

— O quê?

— Sinto muito.

— Você está brincando?

— Eu só... — murmurei, baixando os olhos. — Não estou me sentindo bem. Sinto muito. Acho que vou vomitar.

Era mentira.

— É só ansiedade...

— Não! Não posso fazer isso! Estou dizendo.

Davenport parecia furioso.

— Miranda, isso é um absurdo.

— Sinto muito!

O homem respirou fundo, como se tentasse se conter. Para ser sincera, achei que ele fosse explodir. Sua testa ficou vermelha.

— Miranda, isso é inaceitável! Agora vá se acalmar e...

— Eu *não* vou me apresentar! — falei alto, e as lágrimas vieram facilmente.

— Ótimo! — gritou ele, sem olhar para mim. Virou-se para um garoto chamado David, que fazia parte da equipe de cenografia e disse: — Vá chamar a Olivia na iluminação! Diga a ela que vai substituir a Miranda esta noite!

— O quê? — perguntou o David, que não era muito esperto.

— Vá! — berrou o Sr. Davenport. — Agora!

Os outros alunos perceberam o que estava acontecendo e se juntaram ao nosso redor.

— O que está havendo? — perguntou o Justin.

— Mudança de planos de última hora — disse Davenport. — A Miranda não está se sentindo bem.

— Estou passando mal — falei, tentando parecer indisposta.

— Então por que ainda está aqui? — bradou Davenport, zangado. — Pare de falar, tire o figurino e o entregue à Olivia! Certo? Vamos lá, todos! Vamos! Vamos!

Corri para o camarim o mais rápido que pude e comecei a tirar o figurino. Dois segundos depois, houve uma batida e a Via entreabriu a porta.

— O *que* está acontecendo? — perguntou.

— Depressa, vista isto — respondi, estendendo o vestido para ela.

— Você está passando mal?

250

— Estou! Depressa!

A Via, parecendo surpresa, tirou a camiseta e a calça jeans e enfiou o vestido longo pela cabeça. Eu o ajeitei para ela e fechei o zíper nas costas. Por sorte, Emily Webb só aparecia depois de dez minutos de peça, então a maquiadora conseguiu arrumá-la e fazer uma trança em seu cabelo. Eu nunca tinha visto a Via com tanta maquiagem: ela parecia uma modelo.

— Nem sei se vou me lembrar das minhas falas — disse ela, olhando-se no espelho. — Das *suas* falas.

— Você vai ficar ótima — falei.

Ela me olhou pelo espelho.

— Por que está fazendo isso, Miranda?

— Olivia! — chamou o Sr. Davenport, da porta. — Você entra em dois minutos. É agora ou nunca!

A Via o seguiu porta afora, e não pude responder a pergunta. De todo modo, não saberia o que dizer. Não tinha certeza da resposta.

A apresentação

Assisti ao restante da peça das coxias, ao lado do Sr. Davenport. O Justin foi incrível e a Via, naquela emocionante cena final, foi maravilhosa. Ela se confundiu um pouco em uma fala, mas o Justin a ajudou e ninguém na plateia percebeu. Ouvi o Davenport murmurando: "Bom, bom, bom."

Ele estava mais nervoso que todos os alunos juntos: os atores, os cenógrafos, a equipe de luz, o garoto que controlava as cortinas. Sinceramente, o homem estava uma pilha de nervos.

A única vez em que senti um pouco de arrependimento, se é que se pode chamar assim, foi no fim da peça, quando todos os atores foram se apresentar. A Via e o Justin foram os últimos a voltar ao palco e a plateia os aplaudiu de pé. Isso, admito, foi um pouco difícil para mim. Mas, alguns minutos depois vi o Nate, a Isabel e o Auggie indo para os bastidores, e eles pareciam felizes demais. Todos estavam parabenizando os atores, dando tapinhas em suas costas. Era aquele tumulto de teatro, os atores eufóricos enquanto as pessoas vão adorá-los por alguns segundos. No meio da multidão, vi que o August parecia meio perdido. Abri caminho o mais rápido que pude e cheguei por trás dele. "Oi, Major Tom!"

Depois da peça

Não tenho como explicar o quanto fiquei feliz por ver o August depois de tanto tempo ou como foi bom quando ele me abraçou.

— Não acredito em como você está grande! — falei.

— Achei que você estaria na peça!

— Eu não estava preparada. Mas a Via foi ótima, não acha?

Ele assentiu. Dois segundos depois, a Isabel nos encontrou.

— Miranda! — falou, alegre, dando-me um beijo no rosto. Então se virou para o August: — Nunca mais desapareça desse jeito.

— Mas foi você quem sumiu — retrucou ele.

— Como está se sentindo? — perguntou-me a Isabel. — A Via nos disse que você estava passando mal...

— Muito melhor — respondi.

— Sua mãe está aqui?

— Não, tinha um compromisso no trabalho, então deixei para lá — falei, sincera. — De todo modo, ainda temos mais duas apresentações, embora eu ache que não consiga ser uma Emily tão boa quanto a Via foi esta noite.

O Nate se aproximou e tivemos basicamente a mesma conversa. Então a Isabel disse:

— Olhe, estamos indo jantar para comemorar. Não quer vir conosco? Adoraríamos ter a sua companhia!

— Ah, não... — comecei a responder.

— Por favoooor? — pediu o Auggie.

— Tenho que ir para casa.

— Nós insistimos — disse o Nate.

Nesse momento, a Via se aproximou, com o Justin e a mãe dele, e pôs o braço em volta dos meus ombros.

— Você vai, sim — disse ela, dando-me o sorriso de antigamente.

Eles começaram a me conduzir pela multidão e devo admitir que, pela primeira vez em muito, muito tempo, eu me senti completamente feliz.

253

Parte oito

August

Você vai chegar ao céu

Voe... linda criança

— Eurythmics, "Beautiful Child"

O retiro ecológico do quinto ano

Toda primavera, os alunos do quinto ano da Beecher Prep passam três dias e duas noites na Reserva Ecológica Broarwood, na Pensilvânia. A viagem de ônibus leva quatro horas. As crianças dormem em abrigos com beliches. Há fogueiras, biscoitos e marshmallows e longas caminhadas pela mata. Os professores vêm nos preparando para isso o ano inteiro, e todos os alunos estão muito animados — menos eu. Não é nem que eu não esteja animado, porque até estou, só que nunca dormi fora de casa e estou um pouco nervoso.

A maioria das crianças da minha idade já dormiu fora. Muitas já foram para acampamentos ou ficaram com os avós, ou qualquer coisa assim. Eu não. A menos que você conte as internações, mas aí o papai e a mamãe sempre passaram a noite comigo. Nunca dormi na casa dos meus avós, nem na da tia Kate e no tio Po. Quando eu era muito pequeno, não ia porque havia muitas questões, como meu tubo de traqueostomia que precisava ser limpo de hora em hora, o tubo de alimentação, que devia ser reconectado caso se soltasse. Mas, quando fiquei maior, eu simplesmente não tinha vontade de dormir em outro lugar. Houve uma vez em que quase dormi na casa do Christopher. Tínhamos uns oito anos e ainda éramos melhores amigos. Nossa família foi visitar a dele, e eu e o Christopher estávamos nos divertindo tanto com os Legos *Star Wars* que, quando chegou a hora de voltar para casa, eu não queria ir embora. Nós meio que imploramos para que eu dormisse lá até nossos pais deixarem, e a mamãe, o papai e a Via voltaram para casa. O Christopher e eu ficamos acordados até a meia-noite, brincando, até que a Lisa, a mãe dele, disse: "Certo, meninos, hora de dormir."

Bem, aí eu meio que entrei em pânico. A Lisa tentou me ajudar a dormir, mas eu comecei a chorar e dizer que queria ir para casa. Então, à uma da manhã, ela ligou para meus pais e o papai dirigiu até Bridgeport para me buscar. Só chegamos em casa às três da manhã. Assim, minha primeira e única tentativa até hoje de dormir fora foi um verdadeiro desastre, e é por isso que estou um pouco nervoso com o retiro ecológico.

Por outro lado, estou bem animado.

Ficar conhecido

Pedi para a mamãe que comprasse para mim outra bolsa de viagem com rodinhas, porque a minha antiga tem estampa de *Star Wars*, e não há a menor chance de eu levá-la para o passeio do quinto ano. Por mais que eu adore *Star Wars*, não quero ficar conhecido por isso. Todo mundo é conhecido por alguma coisa no ensino fundamental. O Reid, por exemplo, ficou famoso por se interessar muito por animais marinhos, os oceanos e coisas assim. E o Amos por ser um ótimo jogador de beisebol. A Charlotte é conhecida por ter feito um comercial de TV quando tinha seis anos. A Ximena, por ser muito inteligente.

A questão é que, no ensino fundamental, você fica conhecido pelas coisas pelas quais se interessa, e é preciso tomar cuidado. O Max G e o Max W, por exemplo, nunca vão se livrar da obsessão por Dungeons & Dragons.

Então eu estava tentando pegar leve com *Star Wars*. Quer dizer, isso sempre vai ser especial para mim, como é para o médico que fez meu aparelho auditivo. Só não quero que essa seja minha fama na escola. Não tenho certeza de pelo que quero ser conhecido, mas não é por isso.

Não, não é bem verdade: eu sei pelo que *realmente* sou conhecido. Mas, nesse caso, não há nada que eu possa fazer. Agora, em relação a uma bolsa de *Star Wars* posso, sim, fazer alguma coisa.

Fazendo a mala

A mamãe me ajudou a arrumar a mala na noite anterior à grande viagem. Pusemos na cama todas as roupas que eu iria levar, ela dobrou tudo com cuidado e guardou na mala, enquanto eu observava. Era uma mala de rodinhas azul, simples: sem logo, nem estampa.

— E se eu não conseguir dormir? — perguntei.

— Leve um livro. Aí, se não conseguir dormir, você pode acender a lanterna e ler um pouco até pegar no sono — respondeu ela.

Assenti.

— E se eu tiver um pesadelo?

— Seus professores estarão lá, querido. E o Jack. E seus amigos.

— Posso levar o Babu — falei.

Era meu bichinho de pelúcia favorito quando era pequeno. Um ursinho preto com nariz macio.

— Você já nem dorme mais com ele, não é? — perguntou a mamãe.

— Não, mas ele continua no armário para o caso de eu acordar no meio da noite e não conseguir dormir de novo — respondi. — Eu posso escondê-lo na mala. Ninguém iria saber.

— Então vamos fazer isso — disse a mamãe, pegando o Babu no armário.

— Queria que eles permitissem celulares — comentei.

— Eu sei, eu também! Mas sei que você vai se divertir muito, Auggie. Tem certeza de que quer que eu ponha o Babu na mala?

— Sim, mas bem no fundo, para ninguém ver — falei.

Ela enfiou o Babu lá no fundo da bolsa e depois colocou as últimas camisetas por cima.

— Tanta roupa para apenas dois dias!

— Três dias e duas noites — corrigi-a.

— Isso. — Ela concordou, sorrindo. — Três dias e duas noites. — Minha mãe fechou a mala e a levantou. — Não está muito pesada. Pegue.

260

Peguei a mala e falei:

— Tudo bem.

Dei de ombros.

A mamãe se sentou na cama.

— Ei, cadê o pôster de O *império contra-ataca*?

— Ah, eu o tirei há séculos — respondi.

Ela balançou a cabeça e disse:

— Hum, ainda não tinha notado.

— Estou tentando, você sabe, mudar um pouco a minha imagem — expliquei.

— Sei. — Ela sorriu e balançou a cabeça, como se entendesse. — Querido, você tem que me prometer que não vai se esquecer de usar o repelente, ok? Nas pernas, principalmente quando for caminhar na mata. Está bem aqui, no bolso da frente.

— Ã-hã.

— E passe protetor solar. Não vai querer se queimar demais. E, por favor, *não* se esqueça de tirar os aparelhos auditivos se for nadar, ouviu?

— Posso ser eletrocutado?

— Não, mas seu pai vai matar você, porque eles custaram uma fortuna! — disse ela, rindo. — Pus a capa de chuva no bolso da frente também. O mesmo vale para se chover, Auggie, tudo bem? Não se esqueça de cobrir o aparelho com o capuz.

— Sim senhor, senhor — falei, batendo continência.

Ela sorriu e me puxou para perto.

— Mal acredito em como você cresceu este ano, Auggie — disse baixinho, segurando meu rosto.

— Pareço mais alto?

— Sem dúvida — respondeu ela, assentindo.

— Ainda sou o mais baixo da turma.

— Na verdade, não estou falando da sua altura.

— E se eu odiar a viagem?

— Você vai se divertir muito, Auggie.

Fiz que sim. Ela se levantou e me deu um beijinho na testa.

— Muito bem, agora é hora de ir para a cama.

— Mas são só nove da noite, mãe!

— Seu ônibus sai às seis da manhã. Você não vai querer se atrasar. Vamos. Já escovou os dentes?

Assenti e subi na cama. Ela já ia se deitar ao meu lado.

— Não precisa me pôr para dormir esta noite, mamãe — falei. — Vou ler até pegar no sono.

— É mesmo? — Ela balançou a cabeça, impressionada. Apertou e beijou minha mão. — Então está bem. Boa noite, meu amor. Tenha bons sonhos.

— Você também.

Ela acendeu a luz de leitura ao lado da cama.

— Vou escrever cartas — falei quando ela estava saindo. — Embora, provavelmente, eu já vá estar de volta quando elas chegarem.

— Então nós as leremos juntos — disse a mamãe, e me jogou um beijo.

Quando ela saiu do quarto, peguei meu exemplar de *O leão, a feiticeira e o guarda-roupa* na mesinha de cabeceira e comecei a ler até pegar no sono.

> *... a feiticeira pode conhecer a Magia Profunda, mas não sabe que há outra magia ainda mais profunda. O que ela sabe não vai além da aurora do tempo. Mas, se tivesse sido capaz de ver um pouco mais longe, de penetrar na escuridão e no silêncio que reinam antes da aurora do tempo, teria aprendido outro sortilégio.*

Aurora

No dia seguinte, acordei muito, muito cedo. Ainda estava escuro no meu quarto e mais escuro ainda do lado de fora, embora eu soubesse que logo o sol iria raiar. Eu me virei para o lado, só que não estava mais com sono. Foi então que vi a Daisy sentada perto da minha cama. Quer dizer, sei que não era a Daisy, mas, por um segundo, vi uma sombra igualzinha a ela. Na hora não achei que fosse um sonho, mas agora, pensando bem, deve ter sido. Não fiquei nem um pouco triste por vê-la: isso apenas me encheu de bons sentimentos. Ela desapareceu depois de um segundo, e não consegui achá-la de novo no escuro.

Bem devagar, o quarto foi ficando claro. Peguei meu aparelho auditivo e o coloquei, e aí o mundo estava de fato acordado. Eu ouvi o caminhão de lixo descendo a rua e os pássaros no nosso quintal. Ouvi o despertador da mamãe tocando no fim do corredor. O fantasma da Daisy tinha feito com que eu me sentisse superforte por dentro, certo de que, aonde quer que eu fosse, ela estaria comigo.

Eu me levantei da cama, fui até a escrivaninha e escrevi um bilhetinho para a mamãe. Em seguida fui até a sala de estar e encontrei minha mala ao lado da porta. Eu a abri e a revirei até encontrar o que estava procurando.

Levei o Babu de volta para o quarto, deitei-o na cama e prendi o bilhetinho para a mamãe em seu peito com fita adesiva. Em seguida estendi o cobertor por cima dele, para que a mamãe o encontrasse depois. O bilhete dizia:

Querida mamãe, não vou precisar do Babu, mas, se sentir minha falta, pode dormir com ele. bj Auggie

Primeiro dia

A viagem de ônibus passou muito rápido. Eu me sentei na janela e o Jack ao meu lado, no corredor. A Summer e a Maya se sentaram na nossa frente. Todos estavam bem-humorados. Meio barulhentos, rindo muito. Notei imediatamente que o Julian não estava no nosso ônibus, embora o Henry e o Miles estivessem. Achei que ele estivesse no outro ônibus, mas ouvi o Miles dizer ao Amos que o Julian tinha desistido da viagem, porque essa coisa de retiro ecológico era, abre aspas, uma bobeira, fecha aspas. Fiquei muito contente, porque aturar o Julian por três dias — e duas noites — seguidos era um dos principais motivos do meu nervosismo com a viagem. Agora, sem ele por perto, eu podia relaxar e não me preocupar com mais nada.

Chegamos à reserva por volta do meio-dia. A primeira coisa que fizemos foi deixar as malas nas cabanas. Cada quarto tinha três beliches, então eu e o Jack jogamos pedra, papel ou tesoura para ver quem ficaria com a cama de cima, e eu ganhei. Uh-huuu. Os outros garotos do quarto eram Reid, Tristan, Pablo e Nino.

Depois que almoçamos na cabana principal, fizemos duas horas de caminhada ecológica com um guia pela mata. Não era como no Central Park: era floresta de verdade. Árvores gigantes que bloqueavam quase completamente a luz do sol. Emaranhados de folhas e galhos caídos. Uivos, trinados e pássaros cantando muito alto. Também havia uma neblina leve, como uma fumaça azul-clara, à nossa volta. Superlegal. O guia nos mostrou tudo: os diferentes tipos de árvores pelos quais passávamos, os insetos nos troncos caídos na trilha, as marcas que cervos e ursos deixavam na floresta, que tipos de pássaros estavam cantando e onde procurá-los. Percebi que meu aparelho auditivo Lobot me fazia escutar melhor do que a maioria das pessoas, porque eu era sempre o primeiro a ouvir um canto diferente.

Quando estávamos voltando para o acampamento, começou a chover. Peguei a capa de chuva e vesti o capuz para não molhar meu aparelho, mas minha calça e meus sapatos estavam encharcados quando chegamos às cabanas. Todo mundo estava ensopado, e foi divertido. Fizemos uma guerra de meias molhadas.

Como continuou chovendo, passamos a maior parte da tarde de bobeira na sala de recreação. Havia uma mesa de pingue-pongue e fliperamas antigos, como *Pac-man* e *Missile Command*, e ficamos jogando até a hora do jantar. Por sorte a chuva estiou então fizemos uma verdadeira fogueira de acampamento. Os bancos de madeira ainda estavam úmidos — nós os forramos com casacos e nos reunimos em volta do fogo, assamos marshmallows e comemos o melhor cachorro-quente que já provei na vida. A mamãe estava certa em relação aos mosquitos: havia milhões. Felizmente, eu tinha passado repelente antes de sair da cabana e não estava sendo comido vivo como as outras crianças.

Adorei ficar em volta da fogueira à noite. Adorei o modo como a fuligem flutuava e desaparecia no ar. E como o fogo iluminava o rosto das pessoas. Também adorei o barulho que a fogueira fazia. E o fato de a floresta ser tão escura que não conseguíamos ver nada à nossa volta e poder olhar para cima e ver bilhões de estrelas no céu. As noites não eram assim em North River Heights, mas já tinha visto algo parecido em Montauk: como se alguém houvesse espalhado sal em uma mesa preta e brilhante.

Quando voltei à cabana estava tão cansado que nem precisei pegar o livro. Pousei a cabeça no travesseiro e adormeci quase imediatamente. Talvez eu tenha sonhado com estrelas, não sei.

O parque de exposições

O dia seguinte foi tão bom quanto o primeiro. Fomos cavalgar de manhã e, à tarde, fizemos rapel em árvores gigantescas com a ajuda dos guias. Quando voltamos para as cabanas na hora do jantar, estávamos muito cansados. Após a refeição, disseram que tínhamos uma hora para descansar e que depois faríamos um passeio de quinze minutos de ônibus até o parque de exposições, para uma sessão de cinema ao ar livre.

Eu ainda não havia tido a chance de escrever uma carta para a mamãe, o papai e a Via, então foi o que fiz, contando tudo o que acontecera naquele dia e no anterior. Eu me imaginei lendo a carta em voz alta para eles quando voltasse, porque não havia nenhuma chance de ela chegar antes de mim.

Chegamos ao parque de exposições e o sol estava começando a se pôr. Devia ser sete e meia. As sombras na grama estavam muito compridas, e as nuvens eram cor-de-rosa e laranja. Parecia que alguém tinha pintado o céu com giz de cera e espalhado as cores com os dedos. Não que eu não tivesse visto lindos pores do sol na cidade — faixas de sol se pondo entre os prédios —, mas não estava acostumado a ter tanto céu por todos os lados. Ali, no parque de exposições, entendi por que antigamente as pessoas acreditavam que o mundo fosse plano e o céu, uma abóboda em cima dele. Era o que parecia, ali, no meio daquele enorme campo aberto.

Como fomos a primeira escola a chegar, pudemos correr pelo campo o quanto quiséssemos, até que os professores avisaram que era hora de abrir os sacos de dormir e pegar lugares bons para assistir ao filme. Estendemos os sacos na grama, feito toalhas de piquenique, em frente à tela de cinema gigante no meio do campo. Depois fomos aos trailers que vendiam comida, estacionados ali perto, para nos abastecer de biscoitos, refrigerantes e coisas assim. Também havia barraquinhas, como em uma feirinha, vendendo amendoins torrados e algodão-doce. Um pouco mais ao longe havia uma fileira de barracas de brincadeiras, do tipo em que você pode

ganhar bichos de pelúcia se acertar a bola na cesta. O Jack e eu tentamos
— e não conseguimos — ganhar alguma coisa, mas o Amos ganhou um
hipopótamo amarelo, que deu para a Ximena. Essa era a grande fofoca que
estava circulando: o atleta e a cê-dê-efe.

Dos trailers de comida dava para ver as plantações de milho atrás da
tela. Cobriam cerca de um terço do campo. O restante era completamente cercado pela mata. À medida que o sol se punha, as árvores altas nos
limites da floresta ficavam azul-escuras.

Quando os ônibus das outras escolas chegaram ao estacionamento, já
estávamos de volta aos nossos sacos de dormir, bem na frente da tela: os
melhores lugares que havia. Todo mundo estava comendo salgadinhos
e se divertindo. Jack, Summer, Reid, Maya e eu jogávamos Imagem &
Ação. Dava para ouvir o pessoal das outras escolas chegando, as risadas
e as vozes elevadas vindo dos dois lados do parque, mas não dava para
vê-los. Embora o céu ainda estivesse claro, o sol havia se posto completamente, e tudo no campo estava roxo-escuro. As nuvens agora eram apenas sombras. Tínhamos dificuldade até para enxergar as cartas do jogo à
nossa frente.

Então, sem qualquer aviso, todas as lâmpadas ao redor do campo se
acenderam ao mesmo tempo. Eram como aqueles holofotes grandes dos
estádios. Pensei na cena de *Contatos imediatos de terceiro grau*, em que
a nave alienígena pousa e toca aquela música: *pan-pan-pan-pan-paaan*.
Todos começaram a aplaudir e a comemorar, como se algo muito legal
tivesse acontecido.

Sejam gentis com a natureza

Um anúncio veio dos enormes alto-falantes próximos às luzes:

"Sejam todos bem-vindos à vigésima terceira grande sessão de cinema da Reserva Ecológica Broarwood. Sejam bem-vindos, professores e alunos da... Escola William Heath..." Uma grande vibração se fez ouvir do lado esquerdo do campo. "Sejam bem-vindos, professores e alunos da Academia Clover..." Outra comemoração, dessa vez do lado direito. "E sejam bem-vindos, professores e alunos da... Beecher Prep!" Todo o nosso grupo gritou o mais alto que conseguiu. "Estamos muito felizes por tê-los como nossos convidados aqui esta noite e por o tempo estar cooperando. Vocês já viram que noite linda está fazendo?" Mais uma vez, todos gritaram. "Então, enquanto preparamos o filme, pedimos que deem alguns minutos de atenção a este comunicado importante. A Reserva Ecológica Broarwood, como vocês sabem, se dedica a preservar nossos recursos naturais e o meio ambiente. Pedimos que não deixem lixo espalhado. Limpem o que sujarem. Sejam gentis com a natureza e ela será gentil em retribuição. Pedimos que tenham isso em mente ao passearem por aí. Não se aventurem para além dos cones alaranjados que delimitam o parque de exposições. Não entrem nas plantações de milho nem na floresta. Por favor, evitem perambular por aí. Mesmo que não estejam interessados em assistir ao filme, seus colegas podem estar, portanto, por favor, sejam educados: não conversem, não ouçam música, não corram. Os banheiros estão localizados atrás das barracas de lanche. Depois que o filme acabar, ficará muito escuro, por isso pedimos que permaneçam com suas escolas no caminho de volta até os ônibus. Professores, em geral há pelo menos um grupo perdido nas noites de cinema: não deixem que aconteça com vocês. O filme de hoje será... *A noviça rebelde!*"

Comecei a bater palmas imediatamente, mesmo já tendo assistido ao filme algumas vezes, porque era o favorito da Via. Mas fiquei surpreso, porque um monte de crianças (não da Beecher) vaiou, assobiou e riu.

Alguém do lado direito do campo atirou uma lata de refrigerante na tela, o que pareceu surpreender o Sr. Buzanfa. Eu o vi se levantar e olhar na direção de onde a lata havia sido jogada, embora não fosse possível ver nada no escuro.

O filme começou logo em seguida. As luzes diminuíram. A noviça Maria estava de pé no topo da montanha, girando e girando. De repente ficou frio, então vesti meu casaco com capuz amarelo de Montauk, ajustei o volume do meu aparelho e me recostei na mochila para ver o filme.

The hills are alive...

A floresta ganha vida

Em algum momento da parte chata, quando o rapaz chamado Rolf e a filha mais velha do capitão Von Trapp estão cantando "You are sixteen, going on seventeen", o Jack me cutucou.

— Cara, tenho que fazer xixi.

Nós dois nos levantamos e meio que fomos passando por cima das crianças sentadas ou deitadas nos sacos de dormir. A Summer acenou quando passamos, e acenei de volta.

Havia muita gente de outras escolas nos trailers de comida, nas barraquinhas de brincadeira ou apenas andando por ali.

É claro que tinha um fila imensa para o banheiro.

— Deixe para lá, vou fazer em uma árvore — disse o Jack.

— Isso é nojento, Jack. Vamos esperar — falei.

Mas ele já estava se dirigindo para a fileira de árvores nos limites do campo, atrás dos cones alaranjados, que fomos avisados de forma bem clara para não ultrapassar. Obviamente eu o segui. E obviamente tínhamos esquecido de levar nossas lanternas. Enquanto andávamos pela mata, estava tão escuro que não enxergávamos dez passos à frente. Por sorte, havia a claridade do filme, por isso, quando vimos uma lanterna vindo na nossa direção, soubemos de cara que eram Henry, Miles e Amos. Deduzi que eles também não tivessem esperado na fila para usar o banheiro.

Miles e Henry ainda não estavam falando com o Jack, mas o Amos tinha desistido da guerra já havia um tempo. Ele acenou quando nos viu.

— Cuidado com os ursos! — gritou o Henry, e se afastou com o Miles, rindo.

O Amos balançou a cabeça para nós como se dissesse: "Não liguem para eles."

O Jack e eu andamos um pouco, até estarmos na mata. Então ele procurou pela árvore perfeita e finalmente fez o que queria, embora tenha parecido que levou uma eternidade.

A mata estava cheia de barulhos altos e estranhos, piados e coaxos, como se uma onda de som viesse da floresta. Então começamos a ouvir estalos não muito longe de nós, como tiros de espoleta, algo que, definitivamente, não era o ruído de insetos. E ao longe, como se fosse em outro mundo, podíamos ouvir "Raindrops on roses and whiskers on kittens".

— Ah, muito melhor agora! — disse Jack, fechando o zíper.

— Agora eu tenho que fazer xixi — falei, e fiz na árvore mais próxima. Sem chance de eu me embrenhar na mata como Jack tinha feito.

— Está sentindo esse cheiro? Parecem bombinhas — comentou ele, se aproximando de mim.

— Ah, sim, é isso mesmo — respondi, fechando o zíper. — Estranho.

— Vamos.

Alien

Voltamos pelo mesmo caminho, na direção da tela gigante. Foi então que demos de cara com um grupo que não conhecíamos. Eles simplesmente surgiram da floresta, fazendo coisas que eu tinha certeza que não queriam que os professores vissem. Agora eu sentia o cheiro da fumaça, tanto de cigarro quanto de bombinha. Eles apontaram a lanterna para nós. Eram seis: quatro meninos e duas meninas. Pareciam estar no sétimo ano.

— De que escola vocês são? — perguntou um dos garotos.

— Beecher Prep! — respondeu o Jack, e de repente uma das meninas começou a gritar.

— Ah, meu Deus! — berrou ela, cobrindo os olhos com as mãos, como se estivesse chorando.

Achei que um grande inseto tivesse voado para seu rosto ou algo assim.

— Não acredito! — gritou um dos garotos, e começou a agitar as mãos no ar, como se houvesse tocado em algo quente. Então cobriu a boca. — Não acredito, cara! Não acredito!

Então todos eles começaram a meio rir, meio tapar os olhos, empurrando uns aos outros e falando palavrões.

— O que é isso? — perguntou o garoto que estava apontando a lanterna para nós.

Só então percebi que a luz focalizava meu rosto e que eles estavam falando aquilo — gritando — por minha causa.

— Vamos embora daqui — disse o Jack baixinho, puxando a manga do meu casaco e começando a se afastar deles.

— Espere aí! — gritou o da lanterna, parando na nossa frente. Ele apontou o feixe de luz na minha cara de novo, e agora estava a apenas um metro e meio de distância. — Caraca! Caraca! — exclamou, balançando a cabeça, a boca escancarada. — O que aconteceu com o seu rosto?

— Pare com isso, Eddie — disse uma das meninas.

— Não sabia que íamos assistir a O *senhor dos anéis* hoje! — falou ele. — Vejam, é o Gollum!

Isso fez seus amigos rirem que nem uns loucos.

Tentamos nos afastar de novo, e mais uma vez o garoto chamado Eddie nos deteve. Ele era pelo menos um palmo mais alto que Jack, que era cerca de um palmo mais alto que eu, então, para mim, parecia enorme.

— Não, cara, é o monstro de *Alien*! — disse um dos outros.

— Não, não, não, cara. É um ogro!

O Eddie riu, apontando de novo a lanterna para o meu rosto. Dessa vez ele estava bem na nossa frente.

— Deixem meu amigo em paz, ok? — disse o Jack, empurrando a mão com a qual Eddie segurava a lanterna.

— Vai me obrigar? — desafiou o Eddie, dessa vez apontando a lanterna para o rosto do Jack.

— Qual é o seu problema, cara? — disse o Jack.

— O seu namorado é o problema!

— Jack, vamos embora — falei, puxando-o pelo braço.

— Meu Deus, essa coisa fala! — gritou o Eddie, a lanterna no meu rosto de novo.

Então um dos outros garotos atirou uma bombinha nos nossos pés.

O Jack tentou passar pelo Eddie, mas ele pôs as mãos nos seus ombros e o empurrou com força, fazendo-o cair para trás.

— Eddie! — gritou uma das meninas.

— Olhe só — falei, parando na frente do Jack e erguendo as mãos, como se fosse um guarda de trânsito. — Somos muito menores que você...

— Está falando comigo, Freddie Krueger? Não acho que você vá querer confusão comigo, sua aberração! — disse o Eddie.

E nesse momento eu vi que deveria sair correndo o mais rápido que pudesse, mas o Jack ainda estava no chão e eu não o deixaria para trás.

— Ei, cara — disse uma nova voz atrás de nós. — O que está havendo?

O Eddie se virou e apontou a luz para a voz. Por um segundo, não acreditei em quem era.

— Deixe os dois em paz, cara — disse o Amos, com Henry e Miles logo atrás dele.

— Quem é você? — perguntou um dos garotos que estavam com o Eddie.

— Só deixe os dois em paz — repetiu o Amos, calmo.

— Você é uma aberração também? — provocou o Eddie.

— Eles são todos um bando de aberrações! — instigou um de seus amigos.

O Amos não respondeu, mas olhou para nós.

— Venham. Vamos embora. O Sr. Buzanfa está nos esperando.

Eu sabia que era mentira, mas ajudei o Jack a se levantar e começamos a andar na direção do Amos. Então, do nada, Eddie agarrou meu capuz quando passei por ele e puxou com muita força, de modo que fui arrastado para trás e caí de costas. Foi uma queda e tanto, e machuquei feio o cotovelo em uma pedra. Não consegui ver o que aconteceu em seguida, só que o Amos partiu para cima do Eddie como um caminhão e os dois caíram no chão perto de mim.

Tudo ficou muito confuso depois disso. Alguém me puxou pela manga da roupa e gritou "Corre!", ao mesmo tempo outra pessoa gritou "Atrás deles!", e, por alguns segundos, duas pessoas ficaram puxando meu casaco em direções opostas. Ouvi os dois praguejando, até que o casaco se rasgou e o primeiro garoto agarrou meu braço e começou a me puxar atrás dele enquanto corríamos o mais rápido possível. Eu ouvia os passos nos perseguindo, as vozes gritando, as garotas berrando, mas estava escuro demais e eu não sabia de quem eram as vozes, só que tudo parecia estar debaixo d'água. Corríamos como loucos, e estava um breu, e, sempre que eu começava a diminuir a velocidade, o garoto que estava me puxando gritava: "Não pare!"

Vozes na escuridão

Por fim, depois de uma corrida que pareceu durar uma eternidade, alguém gritou:

— Acho que despistamos os caras!

— Amos?

— Estou bem aqui! — disse ele, a voz vindo de alguns metros atrás de nós.

— Já podemos parar! — gritou o Miles, de mais longe.

— Jack! — chamei.

— Ei! — disse ele. — Estou aqui.

— Não estou vendo nada!

— Tem certeza de que os despistamos? — perguntou o Henry, soltando meu braço.

Foi então que percebi que era ele quem estava me puxando enquanto corríamos.

— Tenho.

— Shhh! Vamos ouvir!

A gente ficou bem quieto, tentando ouvir passos na escuridão. Só o que dava para escutar eram grilos, sapos, e nossa respiração ofegante. Estávamos sem fôlego, curvados, com as mãos nos joelhos e a barriga doendo.

— Despistamos eles — disse o Henry.

— Uau! Isso foi intenso!

— O que aconteceu com a lanterna?

— Eu deixei cair!

— Como vocês souberam? — perguntou o Jack.

— Tínhamos visto aqueles caras antes.

— Pareciam idiotas.

— Você se jogou em cima dele — falei para o Amos.

— É, eu sei — disse ele, rindo.

— Ele não teve nem como se defender! — falou o Miles.

— Foi tipo "Você também é uma aberração?" e você, *bam!* — comentou o Jack.

— Bam! — repetiu o Amos, dando um soco no ar. — Mas depois que eu o acertei, pensei: "Corra, Amos, seu idiota, ele é dez vezes maior que você!" Então me levantei e comecei a correr o mais rápido que pude!

Todos começamos a rir.

— Eu segurei o Auggie e gritei "Corra!" — disse o Henry.

— Eu nem sabia que era você quem estava me puxando — falei.

— Isso foi louco — declarou o Amos, balançando a cabeça.

— Totalmente louco.

— Seu lábio está sangrando, cara.

— Consegui dar alguns socos certeiros — respondeu o Amos, limpando a boca.

— Acho que eles eram do sétimo ano.

— Eram enormes.

— Imbecis! — gritou o Henry bem alto, mas a gente fez ele se calar.

Escutamos por um segundo, para ter certeza de que ninguém tinha ouvido o grito.

— Mas onde é que a gente está? — perguntou o Amos. — Não consigo nem ver a tela.

— Acho que nas plantações de milho — respondeu o Henry.

— Dã, com certeza a gente está na plantação de milho — disse o Miles, empurrando uma espiga para o Henry.

— Tudo bem, sei exatamente onde estamos — disse o Amos. — Temos que seguir nesta direção. Vamos acabar na parte de trás do campo.

— Valeu, galera — agradeceu o Jack, erguendo a mão no ar. — Foi muito legal vocês terem voltado para nos ajudar. Legal mesmo. Valeu.

— Não foi nada — respondeu o Amos, batendo na mão de Jack.

Em seguida o Miles e o Henry fizeram a mesma coisa.

— É, caras, valeu — falei, levantando a mão como o Jack tinha feito, embora eu não tivesse certeza de que eles fossem me cumprimentar também.

O Amos olhou para mim e assentiu.

— Foi legal a maneira como você aguentou firme, carinha — disse ele, e bateu na minha mão.

— É, Auggie — concordou o Miles, também me cumprimentando. — Você ficou, tipo: "Somos menores que vocês..."

— Eu não sabia o que dizer! — falei, rindo.

— Muito legal — disse o Henry, batendo na minha mão também. — Foi mal por ter rasgado seu casaco.

Olhei para baixo e minha roupa estava rasgada ao meio. Uma das mangas havia se soltado e a outra estava tão esticada, que chegava ao joelho.

— Ei, seu cotovelo está sangrando — disse o Jack.

— É.

Eu dei de ombros. Aquilo estava começando a doer bastante.

— Você está bem? — perguntou o Jack, ao ver meu rosto.

Assenti. De repente tive vontade de chorar e estava tentando me controlar com todas as forças.

— Espere, seu aparelho auditivo sumiu! — exclamou o Jack.

— O quê? — gritei, tocando minhas orelhas. O aparelho definitivamente havia sumido. Era por isso que eu parecia estar debaixo d'água!

— Ah, não!

Aí não consegui segurar mais. Tudo o que havia acabado de acontecer me atingiu e não pude evitar: comecei a chorar. Chorar de verdade, tipo o que a mamãe chamava de "dilúvio". Fiquei tão constrangido que escondi o rosto com o braço, mas não conseguia conter as lágrimas.

Porém, os meninos foram muito legais comigo. Eles me deram tapinhas nas costas.

— Tudo bem, cara. Tudo bem — disseram.

— Você é muito bacana e corajoso, sabia? — disse o Amos, passando o braço nos meus ombros.

Como continuei chorando, ele pôs os dois braços em volta de mim, como meu pai teria feito, e me deixou chorar.

A guarda imperial

Durante uns bons dez minutos vasculhamos o caminho que tínhamos percorrido para ver se encontrávamos meu aparelho, mas estava escuro demais para enxergarmos qualquer coisa. Literalmente tínhamos que segurar a camisa uns dos outros e andar em fila indiana para não tropeçar. Era como se tivessem derramado tinta preta em tudo à nossa volta.

— Isso é inútil — disse o Henry. — Pode estar em qualquer lugar.

— Talvez a gente possa voltar com uma lanterna — sugeriu o Amos.

— Não, tudo bem — falei. — Vamos embora. Obrigado mesmo assim.

Voltamos pelas plantações de milho e depois atravessamos o campo até avistarmos a parte de trás da tela gigante. Como ficava virada para o outro lado, não pudemos tirar proveito da claridade do filme até cruzarmos de novo os limites da floresta. Só então, finalmente, vimos alguma luz.

Não havia sinal dos garotos do sétimo ano em lugar nenhum.

— Para onde acham que eles foram? — perguntou o Jack.

— De volta para os trailers de comida — disse o Amos. — Devem achar que vamos fazer queixa deles.

— Nós vamos? — indagou o Henry.

Eles olharam para mim. Fiz que não com a cabeça.

— Certo — disse o Amos —, mas, cara, não volte a andar por aí sozinho, está bem? Se precisar ir a algum lugar, fale com a gente que vamos todos juntos.

— Tá — concordei.

Conforme nos aproximávamos da tela, ouvi "High on a hill was a lonely goatherd" e senti o cheiro do algodão-doce vindo de uma das barraquinhas perto dos trailers de comida. Havia um monte de crianças andando por ali, então puxei o que havia sobrado do meu capuz e fiquei de cabeça baixa e mãos nos bolsos, enquanto seguíamos o caminho pela multidão. Fazia muito tempo que eu não saía sem o aparelho auditivo, e a impressão era de que eu estava muitos quilômetros debaixo da terra.

278

Parecia aquela música que a Miranda cantava para mim: *Torre de controle para Major Tom, seu circuito pifou, há algo errado...*

Enquanto andava, percebi que o Amos tinha ficado bem do meu lado. E o Jack estava perto, do outro. O Miles estava à nossa frente, e o Henry, atrás. Eles me cercavam enquanto atravessávamos o mar de crianças. Era como se eu tivesse minha própria guarda imperial.

Hora de dormir

*Ao saírem do vale, viu logo do que se tratava. Pedro, Edmundo
e todo o resto do exército de Aslam lutavam desesperadamente
contra uma imundície de gente, seres hediondos, como os da
véspera. À luz do dia, eram ainda mais estranhos, mais malig-
nos e monstruosos.*

Parei aí. Eu estava lendo havia mais de uma hora e o sono ainda não
tinha chegado. Eram quase duas da manhã. Todos estavam dormindo. Eu
segurava a lanterna dentro do saco de dormir, e talvez fosse a luz que estivesse atrapalhando, mas eu estava assustado demais para apagá-la. Tinha
medo da escuridão fora do saco de dormir.

Quando voltamos para nosso lugar, perto da tela de cinema, ninguém
nem tinha notado que havíamos saído. O Sr. Buzanfa, a Sra. Rubin, a
Summer e todas as outras crianças continuavam assistindo ao filme. Não
faziam ideia de que algo ruim quase acontecera comigo e com o Jack. É tão
estranho como uma noite pode ser a pior da sua vida, mas, para o restante
das pessoas, ser apenas uma noite normal. No meu calendário, em casa, eu
marcaria esse dia como um dos piores. Esse e o dia em que a Daisy morreu.
Mas, para o resto do mundo, era apenas um dia normal. Talvez até feliz.
Talvez alguém tenha ganhado na loteria.

Amos, Miles e Henry nos acompanharam até onde eu e o Jack estávamos sentados antes, com a Summer, a Maya e o Reid. Depois se afas-
taram e se sentaram com a Ximena, a Savanna e o restante do seu grupo.
De certo modo, tudo voltara exatamente ao que era antes de irmos ao
banheiro. O céu era o mesmo. O filme era o mesmo. O rosto de todos
estava igual. O meu também.

Mas algo era novo. Alguma coisa havia mudado.

Pude ver Amos, Miles e Henry contando ao seu grupo o que tinha
acabado de acontecer. Sabia que estavam falando disso porque ficavam

olhando para mim. Embora o filme ainda não tivesse terminado, as pessoas cochichavam no escuro. Notícias assim se espalham rápido.

Era disso que todos falavam no ônibus, na viagem de volta até as cabanas. Todas as garotas, mesmo as que eu não conhecia direito, me perguntavam se eu estava bem. Os garotos falavam de revanche contra o grupo de imbecis do sétimo ano, tentando descobrir qual era a escola deles.

Eu não pretendia contar aos professores o que havia acontecido, mas eles descobriram mesmo assim. Talvez tenha sido o casaco rasgado e o cotovelo sangrando. Ou apenas porque os professores escutam tudo.

Quando voltamos ao acampamento, o Sr. Buzanfa me levou à sala de primeiros socorros e, enquanto a enfermeira limpava meu cotovelo e fazia um curativo, ele e o diretor do acampamento estavam na sala ao lado conversando com Amos, Jack, Henry e Miles, tentando obter uma descrição dos encrenqueiros. Mais tarde, quando o Sr. Buzanfa me perguntou sobre os garotos, falei que não me lembrava nem um pouco dos rostos, o que não era verdade.

São esses rostos que vejo toda vez que fecho os olhos para dormir. O olhar de pavor da menina quando me viu pela primeira vez. O modo como o garoto com a lanterna, o Eddie, me olhava e falava comigo, como se me odiasse.

Como um cordeiro indo para o abate. Eu me lembrei do papai, quando ele disse isso, séculos atrás — nessa noite acho que, enfim, entendi o que significava.

Consequências

Quando o ônibus chegou, a mamãe estava me esperando na porta da escola com todos os outros pais. Na viagem para casa, o Sr. Buzanfa me contou que eles haviam ligado para os meus pais e dito a eles que acontecera um "problema" na noite anterior, mas que todos estavam bem. Ele disse que o diretor do acampamento e vários monitores foram procurar meu aparelho auditivo pela manhã, enquanto nadávamos no lago, mas que não conseguiram encontrá-lo. A Broarwood iria nos reembolsar o valor do aparelho. Estavam se sentindo mal pelo que havia acontecido.

Eu me perguntei se o Eddie teria levado o aparelho com ele, como um tipo de recordação. Algo para se lembrar do ogro.

A mamãe me deu um abraço apertado quando desci do ônibus, mas não me encheu de perguntas, como imaginei que faria. Seu abraço era bom e eu não me afastei, como outras crianças estavam fazendo com seus pais.

O motorista do ônibus descarregava nossas malas e fui buscar a minha, e mamãe conversava com o Sr. Buzanfa e a Sra. Rubin, que tinham ido até ela. Enquanto eu puxava a bagagem até eles, um monte de crianças, que em geral não falava comigo, acenava e me dava tapinhas nas costas conforme eu ia passando por elas.

"Está pronto?", perguntou mamãe, quando me viu. Ela pegou minha mala e não tentei impedi-la: tudo bem se a carregasse. Para ser sincero, se ela quisesse me levar no colo, por mim estaria tudo bem também.

Quando estávamos indo embora, o Sr. Buzanfa me deu um abraço rápido e apertado, mas não disse nada.

Em casa

Minha mãe e eu não falamos muito no caminho até em casa, e quando chegamos à varanda, olhei automaticamente para a janela, porque, por um segundo, esqueci que a Daisy não estaria lá, como sempre, no sofá, com as patas dianteiras no peitoril, esperando a gente chegar. Isso me deixou um pouco triste quando entramos. Do lado de dentro, a mamãe largou minha mala, me abraçou e me beijou na cabeça e no rosto, como se estivesse me respirando.

— Tudo bem, mãe, estou bem — falei, sorrindo.

Ela assentiu e segurou meu rosto. Seus olhos brilhavam.

— Sei que está — disse ela. — Senti tanto a sua falta, Auggie!

— Também senti a sua.

Eu podia ver que ela queria dizer um monte de coisas, mas estava se controlando.

— Está com fome? — perguntou.

— Morrendo. Posso comer um queijo quente?

— Claro — disse ela e começou a preparar o sanduíche na mesma hora, enquanto eu tirava o casaco e me sentava ao balcão da cozinha.

— Onde está a Via? — perguntei.

— Ela vem para casa com o papai hoje. Ela está com muita saudade de você, Auggie.

— É? Ela ia gostar da reserva. Sabe que filme nós vimos? A noviça rebelde.

— Você vai ter que contar isso a ela.

— Então, quer ouvir primeiro a parte boa ou a parte ruim? — perguntei após alguns minutos, apoiando a cabeça na mão.

— A que você quiser contar — respondeu ela.

— Bem, sem contar a última noite, eu me diverti muito — falei. — Quer dizer, foi incrível. É por isso que estou tão chateado. É como se eles tivessem estragado toda a viagem.

— Não, querido, não deixe que eles façam isso com você. Você ficou lá mais de quarenta e oito horas e essa parte ruim só durou uma. Não deixe que tirem isso de você, está bem?

— Eu sei. — Assenti. — O Sr. Buzanfa contou sobre o aparelho auditivo?

— Sim, ele nos ligou hoje de manhã.

— O papai ficou zangado? Porque foi muito caro?

— Ah, meu Deus, é claro que não, Auggie! Ele só queria saber se você estava bem. É só isso que importa para nós. E que você não deixe aqueles... brutamontes... estragarem sua viagem.

Eu meio que ri do modo como ela falou "brutamontes".

— O que foi?

— *Brutamontes* — provoquei. — É uma palavra meio velha.

— Certo, idiotas. Bobocas. Imbecis — disse ela, virando meu sanduíche na frigideira. — *Cretinos*, como diria minha mãe. Chame como quiser. Se eu os visse na rua, eu...

Ela balançou a cabeça.

— Eles eram bem grandes, mãe. — Sorri. — Acho que do sétimo ano.

— Sétimo? O Sr. Buzanfa não nos contou isso. Meu Deus!

— Ele contou como o Jack me defendeu? — perguntei. — E o Amos se jogou em cima do líder deles. Os dois caíram no chão, como em uma luta de verdade! Foi incrível! O lábio do Amos sangrou e tudo.

— Ele nos contou que houve uma briga, mas... — disse ela, olhando para mim com as sobrancelhas erguidas. — Eu só... uau... ainda bem que você, Amos e Jack estão bem. Quando penso no que poderia ter acontecido... — Ela deixou a frase inacabada e virou o sanduíche de novo.

— Meu casaco de Montauk ficou destruído.

— Bem, podemos comprar outro. — Ela passou o queijo quente para um prato e o pôs na minha frente no balcão. — Leite ou suco de uva?

— Leite com achocolatado, por favor? — Comecei a devorar o sanduíche. — Ah, você pode fazer daquele seu jeito especial, com espuma?

— Mas como você e o Jack foram parar na floresta, para começo de conversa? — perguntou ela, despejando leite num copo alto.

— O Jack precisava ir ao banheiro — respondi, de boca cheia. Enquanto eu falava, ela pôs o achocolatado no leite e começou a rolar um batedor entre as palmas das mãos, bem depressa. — Mas a fila estava enorme e ele não quis esperar. Então fomos para a mata.

Ela me olhou enquanto batia o leite. Eu sabia que estava pensando que não deveríamos ter feito isso. O chocolate no copo agora tinha cinco centímetros de espuma.

— Parece ótimo, mãe. Obrigado.

— E o que aconteceu depois? — Ela me entregou o copo.

Tomei um longo gole do achocolatado.

— Tudo bem se não falarmos mais disso agora?

— Ah, tudo bem.

— Prometo que vou contar todos os detalhes depois, quando o papai e a Via chegarem. Só não quero ter que ficar repetindo a história várias vezes, entende?

— Perfeitamente.

Com mais duas mordidas terminei o sanduíche e tomei o restante do leite.

— Uau. Você praticamente engoliu o sanduíche. Quer outro?

Fiz que não com a cabeça e limpei a boca com as costas da mão.

— Mãe? Sempre vou ter que me preocupar com idiotas desse tipo? — perguntei. — Tipo, mesmo quando eu crescer, vai ser sempre assim?

Ela não respondeu de imediato. Em vez disso, pegou meu prato e meu copo, pôs na pia e enxaguou.

— Sempre haverá idiotas no mundo, Auggie — falou, olhando para mim. — Mas seu pai e eu acreditamos, de verdade, que há mais pessoas boas que más na Terra, e que as pessoas boas olham umas pelas outras, cuidam umas das outras. Assim como o Jack ficou do seu lado. E o Amos. E os outros garotos.

— Ah, sim, Miles e Henry — falei. — Eles também foram incríveis. É estranho, porque não foram nem um pouco legais comigo o ano todo.

— Às vezes as pessoas nos surpreendem — disse a mamãe, bagunçando meu cabelo.

— É, acho que sim.

— Quer outro copo de leite?

— Não, tudo bem. Obrigado, mãe. Na verdade, estou meio cansado. Não dormi bem noite passada.

— Você deveria tirar uma soneca. Aliás, obrigada por deixar o Babu comigo.

— Viu meu bilhete?

Ela sorriu.

— Dormi com ele as duas noites.

A mamãe estava prestes a dizer mais alguma coisa, mas o celular tocou e ela atendeu. Enquanto ouvia, começou a sorrir.

— Ah, meu Deus, jura? De que tipo? — perguntou, animada. — Sim, ele está bem aqui. Ia tirar uma soneca. Quer falar com ele? Ah, certo, nos vemos em dois minutos. — Ela desligou. — Era seu pai — disse, eufórica. — Ele e a Via estão no fim do quarteirão.

— Ele não está no trabalho?

— Saiu mais cedo porque não podia esperar para ver você. Então não vá dormir ainda.

Cinco segundos depois, meu pai e a Via chegaram. Corri para os braços do papai e ele me pegou no colo, me girou e me beijou. Fez isso por um minuto inteiro, até que eu disse:

— Já chega, pai.

Então foi a vez da Via, e ela me deu vários beijos, como fazia quando eu era pequeno.

Foi só depois que ela parou que notei a grande caixa branca de papelão que eles haviam trazido.

— O que é isso? — perguntei.

— Abra — disse o papai, sorrindo.

Ele e a mamãe se olharam como se compartilhassem um segredo.

— Abra logo, Auggie! — falou a Via.

Abri a caixa. Nela havia o cachorrinho mais fofo que eu já tinha visto. Era preto e peludo, com o focinho pequeno e pontudo, olhos pretos brilhantes e orelhinhas caídas.

Urso

Demos ao filhote o nome de Urso, porque, quando a mamãe o viu pela primeira vez, disse que parecia um filhote de urso.

— É assim que vamos chamá-lo — falei, e todos concordaram que seria o nome perfeito.

No dia seguinte não fui à escola — não porque meu cotovelo estivesse doendo, embora até estivesse, mas para poder brincar com o Urso o dia todo. A mamãe também deixou a Via ficar em casa, então nos revezamos fazendo carinho no Urso e brincando de cabo de guerra com ele. Tínhamos guardado todos os brinquedos da Daisy, e os pegamos de volta para ver de qual ele iria gostar mais.

Foi divertido passar o dia inteiro com a Via, só nós dois. Foi como nos velhos tempos, antes de eu frequentar a escola. Naquela época, eu mal podia esperar que ela chegasse em casa, para brincar comigo antes de fazer o dever. Mas, agora que somos mais velhos, que vou à escola e tenho meus amigos, nunca mais fizemos isso.

Foi legal ficar com a Via, rindo e brincando. Acho que ela também gostou.

A mudança

Quando voltei para a escola no dia seguinte, a primeira coisa que notei foi que tudo havia mudado muito. Era uma diferença monumental. Sísmica. Talvez até cósmica. Independentemente de como você queira chamá-la, foi uma grande mudança. Todo mundo — não só no quinto ano, mas em todos os outros — tinha ouvido falar do que acontecera entre nós e aqueles garotos do sétimo ano, e, de repente, eu não era mais famoso pelo motivo de sempre, mas por esse outro acontecimento. E a história ficava maior a cada vez que era contada. Dois dias depois, o que se dizia era que o Amos se envolvera em uma grande briga com o garoto, e Miles, Henry e Jack também tinham dado uns socos nos outros. E a fuga pelo milharal se transformou em uma grande aventura por um labirinto de milho, no meio da mata escura. A versão do Jack provavelmente era a melhor, porque ele era muito engraçado. Mas, em qualquer história, duas coisas eram sempre iguais: eles tinham caçoado de mim por causa do meu rosto, o Jack me defendeu e os outros garotos — Amos, Henry e Miles — me protegeram. E, agora que haviam me protegido, eu era diferente para eles. Eu era um deles. Todos me chamavam de "carinha" — até os atletas. Aqueles caras grandões que eu mal conhecia agora me cumprimentavam pelos corredores.

Outra consequência do episódio foi que o Amos se tornou superpopular e o Julian, por ter perdido a coisa toda, ficou de fora. O Miles e o Henry estavam andando com o Amos o tempo todo, como se tivessem trocado de melhor amigo. Eu gostaria de poder dizer que o Julian também começou a me tratar melhor, mas não é verdade. Ele ainda me lançava olhares contrariados do outro lado da sala. Continuava sem falar comigo nem com o Jack. Mas agora era o único. E eu e o Jack não estávamos nem aí.

Patos

No penúltimo dia de aula, o Sr. Buzanfa me chamou à sala dele para dizer que tinha descoberto os nomes dos tais alunos do sétimo ano. Ele leu alguns nomes que não reconheci, e então falou o último:

— Edward Johnson.

Eu assenti.

— Reconhece esse nome?

— Os outros o chamavam de Eddie.

— Certo. Bem, encontraram isso no armário do Edward. — Ele me entregou o que havia sobrado do meu aparelho auditivo. A parte direita tinha desaparecido e a esquerda estava toda torta. O arco entre elas estava dobrado ao meio. — A escola dele quer saber se você quer dar queixa — disse o Sr. Buzanfa.

Olhei meu aparelho auditivo.

— Não, acho que não. — Dei de ombros. — Já vou tirar as medidas para um aparelho novo mesmo...

— Hum. Por que não conversa sobre isso com seus pais hoje? Ligarei para sua mãe amanhã e falarei com ela também.

— Eles iriam para a cadeia? — perguntei.

— Não, para a cadeia, não. Mas provavelmente passariam pelo juizado de menores. E talvez aprendessem uma lição com isso.

— Pode acreditar em mim: aquele tal de Eddie não é capaz de aprender lição nenhuma — brinquei.

O Sr. Buzanfa se sentou à sua mesa.

— Auggie, por que não se senta um instante?

Fiz isso. As coisas na escrivaninha eram as mesmas de quando entrei naquele escritório pela primeira vez, no verão anterior: o mesmo cubo espelhado, o mesmo globo pequeno flutuando. Parecia que fazia séculos.

— Difícil acreditar que o ano esteja quase acabando, não é? — disse ele, quase como se estivesse lendo meus pensamentos.

— É.

— Foi um bom ano para você, Auggie? Foi tudo bem?

— Sim, tem sido bom.

— Sei que, em termos acadêmicos, seu ano foi ótimo. Você é um de nossos melhores alunos. Parabéns pela Lista de Honra.

— Obrigado. É, foi legal.

— Mas sei que você teve sua cota de altos e baixos — disse ele, erguendo as sobrancelhas. — Com certeza aquela noite na reserva foi um dos pontos baixos.

— É! — Assenti. — Mas meio que foi bom também.

— Em que sentido?

— Bem, você sabe, o modo como as pessoas me defenderam e tal...

— Isso foi maravilhoso — disse ele, sorrindo.

— É.

— Sei que, às vezes, as coisas ficaram um pouco complicadas com o Julian. Tenho que admitir: ele me surpreendeu com aquilo.

— Você sabe disso? — perguntei.

— Diretores têm suas maneiras de saber de muitas coisas.

— Vocês têm, tipo, câmeras de segurança secretas nos corredores? — brinquei.

— E microfones por todo lado — disse ele, rindo.

— Não! Sério?

Ele riu de novo.

— Não, não é sério.

— Ah!

— Mas os professores sabem mais do que os alunos imaginam, Auggie. Eu gostaria que você e o Jack tivessem vindo falar comigo sobre aqueles bilhetes maldosos deixados nos armários.

— Como sabe disso?

— Estou lhe dizendo: diretores sabem de *tudo*.

— Isso não foi nada de mais — respondi. — E nós também deixamos bilhetes.

Ele sorriu.

— Não sei se já se tornou público, mas em breve será: Julian não voltará para a Beecher Prep no próximo ano.

— O quê?!

Não consegui esconder minha surpresa.

— Os pais dele não acham que a Beecher Prep seja boa para o filho — explicou o Sr. Buzanfa, encolhendo os ombros.

— Uau, essa é uma grande notícia — falei.

— É, achei que você deveria saber.

De repente, notei que o retrato de abóbora que ficava atrás da mesa dele havia sumido e que, emoldurado em seu lugar, estava o *Autorretrato como um animal* que eu havia desenhado para a exposição de Ano-novo.

— Ei, aquele é o meu desenho — apontei.

O Sr. Buzanfa se virou como se não soubesse do que eu estava falando.

— Ah, é mesmo! — disse, dando um tapinha na testa. — Eu queria lhe mostrar isso há meses.

— Meu autorretrato como um pato.

— Adoro esse desenho, Auggie. Quando sua professora de artes me mostrou, perguntei se poderia ficar com ele para o meu escritório. Espero que não se importe.

— Não. Claro que não! E onde está o retrato da abóbora?

— Bem atrás de você.

— Ah, sim. Legal.

— Queria lhe perguntar desde que o pendurei... — disse ele, olhando para o desenho. — Por que você escolheu se retratar como um pato?

— Como assim? Essa era a tarefa.

— Sim, mas por que um pato? Eu estaria certo se deduzisse que foi por causa da história do patinho... hum... que se transforma em cisne?

— Não! — Eu ri, balançando a cabeça. — É porque eu acho que pareço um pato.

— Ah! — exclamou o Sr. Buzanfa, arregalando os olhos. E começou a rir. — Sério? Hum. E eu aqui procurando simbolismos e metáforas... Às vezes um pato é só um pato!

— É, acho que sim — falei, sem entender direito por que ele tinha achado aquilo tão engraçado.

Ele riu sozinho por uns bons trinta segundos.

— Enfim, Auggie, obrigado por conversar comigo — disse, então. — Eu só gostaria que você soubesse que é um grande prazer tê-lo aqui na Beecher Prep e que estou ansioso pelo próximo ano. — Ele estendeu a mão por cima da mesa e eu a apertei. — Vejo você amanhã na formatura.

— Até amanhã, Sr. Buzanfa.

O último preceito

Quando entramos pela última vez na aula de inglês do Sr. Browne, estava escrito no quadro:

PRECEITO DO SR. BROWNE DE JUNHO:

APENAS SIGA O DIA E BUSQUE O SOL!
(The Polyphonic Spree)

Boas férias, turma 5B!

Foi um ótimo ano e vocês foram um grupo maravilhoso.

Se lembrarem, por favor, me mandem um cartão-postal neste verão com o SEU preceito pessoal. Pode ser algo que tenham criado ou que tenham lido em algum lugar, e que signifique algo para vocês. (No segundo caso, não se esqueçam do crédito, por favor!) Estou ansioso para recebê-los.

Tom Browne
563 Sebastian Place
Bronx, NY 10053

A carona

A cerimônia de formatura foi no auditório do ensino médio da Beecher Prep. Ficava a apenas quinze minutos andando da nossa casa, mas o papai me levou de carro porque eu estava todo arrumado e com sapatos novos pretos e lustrosos, que ainda não tinham sido amaciados — e eu não queria ficar com o pé doendo. Os alunos deviam chegar ao auditório com uma hora de antecedência, mas acabamos chegando antes disso, então ficamos sentados no carro e esperamos. O papai ligou o CD player e nossa música favorita começou a tocar. Nós dois sorrimos e balançamos a cabeça no ritmo.

Meu pai cantou:

— *Andy would bicycle across town in the rain to bring you candy.*

— Ei, minha gravata está no lugar? — perguntei.

Ele olhou e a endireitou um pouco, enquanto continuava cantando:

— *And John would buy the gown for you to wear to the prom...*

— O cabelo está legal?

Ele sorriu e assentiu.

— Perfeito. Você está ótimo, Auggie.

— A Via passou um pouco de gel de manhã — falei, abrindo o para-sol e me olhando no espelhinho. — Não está muito espetado?

— Não, está muito, muito, muito legal, Auggie. Acho que você nunca usou o cabelo tão curto, não é?

— Não. Cortei ontem. Acho que me faz parecer mais velho, não acha?

— Definitivamente! — Ele estava sorrindo, olhando para mim e assentindo. — *But I'm the luckiest guy on the Lower East Side, 'cause I got wheels, and you want to go for a ride*. Olhe só para você, Auggie — disse ele, sorrindo de orelha a orelha. — Olhe para você, parecendo tão crescido e bem-vestido. Mal posso acreditar que está se formando no quinto ano!

— Eu sei. É incrível, não é?

— Parece que foi ontem que você entrou para a escola.

— Lembra que eu ainda tinha aquela trança do *Star Wars?*

— Ah, meu Deus, é verdade! — disse ele, esfregando a testa com a palma da mão.

— Você odiava aquela trança, não é, pai?

— Odiar é uma palavra muito forte, mas eu realmente não a adorava.

— Você a odiava, vamos, confesse — provoquei.

— Não, não odiava. — Ele sorriu, balançando a cabeça. — Mas admito que odiava aquele capacete de astronauta que você usava, lembra?

— O que a Miranda me deu? Claro que eu lembro! Eu usava o tempo todo.

— Meu Deus, eu odiava aquela coisa.

Ele riu, mais para si mesmo.

— Fiquei tão arrasado quando ele sumiu... — falei.

— Ah, ele não sumiu — disse ele em tom casual. — Eu o joguei fora.

— Espere aí, como é que é?

Não acreditei que tivesse ouvido direito.

— *The day is beautiful, and so are you* — cantou ele.

— Pai! — falei, diminuindo o volume.

— O que foi?

— Você jogou o capacete fora?!

Ele finalmente olhou para mim e viu como eu estava zangado. Não dava para acreditar que ele estivesse tratando tudo aquilo de modo tão banal. Quer dizer, para mim era uma grande revelação, e ele estava agindo como se não tivesse importância.

— Auggie, eu não aguentava mais ver aquela coisa cobrindo o seu rosto — disse ele, sem jeito.

— Pai, eu amava aquele capacete! Significava muito para mim! Você não imagina como fiquei arrasado quando o perdi... Não lembra?

— É claro que lembro, Auggie — disse ele, baixinho. — Ah, Auggie, não fique zangado. Desculpe. Eu só não aguentava mais vê-lo com aquilo na cabeça, entende? Não achava que fosse bom para você. — Ele estava tentando me olhar nos olhos, mas eu não queria encará-lo. — Ora, vamos, Auggie, por favor, tente entender — continuou, pondo a mão no meu queixo e erguendo meu rosto. — Você usava aquele capacete o tempo inteiro. E a grande verdade é: eu sentia falta do seu rosto, Auggie. Sei que *você* nem sempre gosta dele, mas, precisa entender... *Eu* adoro. Eu *amo* seu rosto, Auggie, completa e apaixonadamente. E meio que partia meu coração o fato de você escondê-lo o tempo todo.

Ele estava olhando para mim fixamente, como se quisesse mesmo que eu entendesse.

— A mamãe sabe? — perguntei.

Ele arregalou os olhos.

— De jeito nenhum! Está brincando? Ela teria me matado!

— Ela revirou a casa inteira procurando o capacete, pai — falei. — Quer dizer, ela passou, tipo, uma semana inteira procurando em todos os armários, na lavanderia, em tudo que era canto.

— Eu sei! — falou ele, assentindo. — E é por isso que ela me mataria!

Então ele olhou para mim, e algo em sua expressão me fez começar a rir, o que o fez abrir muito a boca, como se tivesse acabado de se dar conta de algo.

— Espere um minuto, Auggie — falou, apontando para mim. — Você tem que me prometer que *nunca* vai contar nada disso à sua mãe.

Sorri e esfreguei as palmas das mãos, de um jeito muito malévolo.

— Vamos ver — falei, coçando o queixo. — Vou querer o novo Xbox, quando for lançado no mês que vem. E, sem dúvida, vou querer meu próprio carro daqui a uns seis anos: um Porsche vermelho seria legal. E...

Ele começou a rir. Adorei o fato de que era eu que o estava fazendo rir, já que normalmente o cara engraçado, que diverte todo mundo, é ele.

— Caramba, garoto. Você cresceu mesmo.

A parte da música que mais gostávamos de cantar começou, e aumentei o volume. Nós cantamos juntos.

I'm the ugliest guy on the Lower East Side, but I've got wheels and you want to go for a ride. Want to go for a ride. Want to go for a ride. Want to go for a riiiiiiiiiiiiiiiiiiide.

Sempre cantamos essa parte a plenos pulmões, tentando sustentar a última nota por tanto tempo quanto o cantor, o que sempre nos faz rir. Enquanto ríamos, vimos que o Jack tinha chegado e estava andando na nossa direção. Fiz menção de descer do carro.

— Espere aí — disse o papai. — Só quero ter certeza de que você me perdoou, ok?

— Sim, eu perdoo você.

Ele me olhou com gratidão.

— Obrigado.

— Mas nunca mais jogue nada meu fora sem me consultar!

— Prometo.

Abri a porta e saí no momento em que o Jack chegava ao carro.

— Oi, Jack — falei.

— Oi, Auggie. Oi, Sr. Pullman.

— Como vai, Jack? — perguntou meu pai.

— Vejo você mais tarde, pai — falei, fechando a porta.

— Boa sorte, rapazes! — gritou papai, abrindo a janela. — Vejo vocês do outro lado do quinto ano!

Nós acenamos enquanto ele virava a chave na ignição e dava a partida, mas então corri de volta e ele parou o carro. Pus a cabeça para dentro da janela, para que Jack não ouvisse o que eu estava dizendo.

— Será que vocês poderiam não me beijar muito depois da formatura? — pedi, baixinho. — É meio constrangedor.

— Vou fazer o possível.

— Avise à mamãe, por favor?

— Acho que ela não vai conseguir resistir, Auggie, mas vou dar o recado.

— Tchau, meu querido e velho pai.

Ele sorriu.

— Tchau, meu filho, meu filho.

Sentem-se, todos

O Jack e eu entramos no prédio logo atrás de alguns alunos do sexto ano e os seguimos até o auditório.

A Sra. G. estava na entrada, entregando os programas e dizendo às crianças aonde ir.

"Quinto ano no fim do corredor à esquerda", disse ela. "Sexto ano à direita. Entrem todos. Entrem. Bom dia. Vão para seus lugares. Quinto ano à esquerda, sexto ano à direita..."

O auditório era enorme. Grandes lustres brilhantes. Paredes de veludo vermelho. Fileiras e mais fileiras de assentos estofados de frente para um palco gigantesco. Descemos o longo corredor e seguimos as sinalizações até a área do quinto ano, que era um grande espaço à esquerda do palco. Lá, na parte da frente do auditório, havia quatro filas de cadeiras reservadas, de onde a Sra. Rubin, de pé, acenava para nós assim que entrávamos.

— Certo, alunos, para os seus lugares. Para os seus lugares — dizia ela, apontando para as filas de cadeiras. — Não se esqueçam de que vocês vão se sentar em ordem alfabética. Vamos, sentem-se, todos.

Ainda não haviam chegado muitas crianças, mas as que estavam lá não lhe davam ouvidos. O Jack e eu fizemos rolinhos com o programa e estávamos brincando de luta de espadas.

— Oi, meninos.

Era a Summer, que vinha na nossa direção. Ela estava usando um vestido rosa-claro e, acho, um pouco de maquiagem.

— Uau, Summer, você está linda! — falei, porque ela estava mesmo.

— Sério? Obrigada, você também, Auggie.

— É, você está bonita, Summer — disse o Jack, meio sem jeito.

E, pela primeira vez, percebi que ele tinha uma quedinha por ela.

— Isso é tão empolgante, não é? — comentou a Summer.

— É, um pouco — falei, assentindo.

— Meu Deus, olhem esse programa! — disse o Jack, coçando a testa.
— Vamos passar o dia inteiro aqui.

Li o meu.

Discurso de abertura do Reitor:
Dr. Harold Jansen

Discurso do Diretor do ensino fundamental II:
Sr. Lawrence Buzanfa

"Light and Day"
Coral do ensino fundamental II

Discurso de entrega de diplomas dos alunos do quinto ano:
Ximena Chin

"Canon em Ré maior", de Pachelbel
Orquestra de Câmara do ensino fundamental II

Discurso de entrega de diplomas dos alunos do sexto ano:
Mark Antoniak

"Under Pressure"
Coral do ensino fundamental II

Discurso da Coordenadora do ensino fundamental II:
Sra. Jennifer Rubin

Entrega dos prêmios (ver apêndice)

Entrega dos diplomas

— Por que você acha isso? — perguntei.

— Porque os discursos do Sr. Jansen duram uma eternidade — disse o Jack. — Ele é pior que o Sr. Buzanfa!

— Minha mãe disse que chegou a dormir durante o discurso dele no ano passado — acrescentou a Summer.

— O que é entrega dos prêmios? — perguntei.

— É quando eles entregam medalhas para os maiores cê-dê-efes — respondeu o Jack. — O que significa que a Charlotte e a Ximena vão ganhar todas as do quinto ano, como ganharam todas do quarto e do terceiro.

— Do segundo, não? — falei, rindo.

— Eles não dão prêmios no segundo ano — disse ele.

— Talvez *você* ganhe este ano — brinquei.

— Só se eles derem prêmios para o maior número de notas C — falou o Jack, rindo.

— Sentem-se, todos! — A Sra. Rubin agora começou a gritar mais alto ainda, como se estivesse ficando irritada com o fato de que ninguém prestava atenção. — Temos muito o que fazer, por isso, sentem-se. Não se esqueçam da ordem alfabética! De A a G na primeira fila! De H a N na segunda; O a Q na terceira; R a Z na última. Vamos, pessoal!

— Temos que nos sentar — disse a Summer, indo para a parte da frente do auditório.

— Vocês vão à minha casa depois, certo? — gritei para ela, que estava de costas.

— Com certeza! — disse a Summer, sentando-se ao lado da Ximena Chin.

— Quando foi que a Summer ficou tão bonita? — murmurou o Jack no meu ouvido.

— Cala a boca, cara — retruquei, rindo, enquanto caminhávamos para a terceira fila.

— Sério, quando foi que isso aconteceu? — sussurrou ele, sentando-se ao meu lado.

— Sr. Will! — gritou a Sra. Rubin. — Até onde sei, o W fica entre o R e o Z, certo?

Jack olhou para ela, sem entender.

— Cara, você está na fileira errada — falei.

— Estou?

A cara que ele fez quando se levantou era uma mistura de completa confusão e de quem estava fazendo graça, o que me fez morrer de rir.

300

Uma coisa simples

Cerca de uma hora depois, estávamos todos sentados no imenso auditório esperando que o Sr. Buzanfa fizesse seu discurso. O lugar era ainda maior do que eu imaginava que seria — maior até que na escola da Via. Olhei em volta e devia haver um milhão de pessoas na plateia. Certo, talvez não um milhão, mas com certeza, muitas.

— Obrigado, Reitor Jansen, por suas gentis palavras de apresentação — disse o Sr. Buzanfa, pondo-se de pé atrás do púlpito no palco e pegando o microfone. — Sejam bem-vindos, amigos professores e membros do corpo docente... Sejam bem-vindos, pais, avós, amigos e convidados de honra, e, sobretudo, sejam bem-vindos, meus alunos do quinto e do sexto anos... Sejam bem-vindos à cerimônia de formatura do ensino fundamental da Beecher Prep!!!

Todos aplaudiram.

— Todos os anos — continuou o Sr. Buzanfa, lendo suas anotações com os óculos de leitura na ponta do nariz —, tenho a incumbência de escrever dois discursos: um para a cerimônia de formatura do quinto e do sexto anos, que acontece hoje, e outro para a do sétimo e do oitavo, amanhã. E todos os anos digo a mim mesmo que deveria poupar trabalho e escrever um único discurso que servisse para as duas ocasiões. Não deveria ser tão difícil, não é? E, mesmo assim, apesar das minhas intenções, sempre acabo com dois discursos diferentes, e este ano descobri por quê. Não é, como vocês podem estar imaginando, simplesmente porque amanhã vou falar para uma plateia mais velha, com mais experiência nesta escola, enquanto a maior parte do que vocês viverão aqui ainda está por vir. Não, acho que tem mais a ver com essa idade específica que têm agora, este momento especial na vida de vocês, que ainda me emociona, mesmo vinte anos depois de eu ter sido um aluno com essa idade. Porque vocês estão no limite, crianças, na fronteira entre a infância e tudo o que vem depois. Estão em transição.

O Sr. Buzanfa tirou os óculos e usou-os para apontar para todos nós na plateia.

— Estamos todos reunidos aqui hoje — continuou —, seus parentes, amigos e professores, para celebrar não só suas conquistas deste último ano, mas suas infinitas possibilidades. Quando refletirem sobre este ano, quero que vejam onde estão agora e onde estiveram antes. Todos ficaram um pouco mais altos, um pouco mais fortes, um pouco mais inteligentes... espero.

Algumas pessoas da plateia riram.

— Mas a melhor maneira de medir quanto vocês cresceram não é por centímetros, nem por quantas voltas conseguem dar na pista, ou mesmo por sua média de notas, embora essas coisas, sem dúvida, sejam importantes. A melhor medida é o que vocês fizeram com seu tempo, como escolheram passar os dias e quem cativaram. Para mim, essa é a melhor medida do sucesso. Há uma frase maravilhosa em um livro de J. M. Barrie... e não, não é *Peter Pan*, e não vou pedir que batam palmas se acreditam em fadas...

Todos riram mais uma vez.

— Mas em outro livro de J. M. Barrie, chamado *O pequeno pássaro branco*, ele escreve... — O Sr. Buzanfa começou a folhear um pequeno livro até encontrar a página que estava procurando, e então voltou a pôr os óculos. — "Vamos criar uma nova regra de vida... sempre tentar ser um pouco mais gentil que o necessário?"

Então ele olhou para a plateia.

— "Mais gentil que o necessário" — repetiu. — Que frase maravilhosa, não é? Mais gentil que o *necessário*. Porque não basta ser gentil. Devemos ser mais gentis do que precisamos. Adoro essa frase, essa ideia, porque ela me lembra que carregamos conosco, como seres humanos, não apenas a capacidade de ser gentil, mas a opção pela gentileza. O que isso significa? Como isso é medido? Não podemos usar uma régua. É como eu estava dizendo antes: a questão não é medir quanto vocês cresceram este ano. Não dá para quantificar com precisão, não é? Como sabemos que fomos gentis? O que *é* ser gentil, a propósito?

Ele pôs os óculos de novo e começou a folhear outro livrinho.

— Aqui está mais uma passagem, de um outro livro, que gostaria de compartilhar com vocês. Se tiverem a gentileza de esperar enquanto procuro... Ah, aqui está. Em *Under the eye of the clock*, de Christopher Nolan, o personagem principal é um jovem que está enfrentando desafios extraordinários. Há uma parte em que alguém o ajuda: um garoto da mesma turma. Aparentemente, é um gesto pequeno. Mas, para o jovem, chamado Joseph, é... bem, se me permitem...

Ele pigarreou para limpar a garganta e leu:

— "Era em momentos como aquele que Joseph reconhecia a face de Deus em forma humana. Cintilava para ele em sua gentileza, brilhava em sua solidariedade, mostrava-se em sua preocupação, até mesmo o afagava em seu olhar."

Ele fez uma pausa e mais uma vez tirou os óculos.

— "Cintilava para ele em sua gentileza" — repetiu, sorrindo. — Uma coisa tão simples, a gentileza. Tão simples. Uma palavra de incentivo quando precisamos. Um gesto de amizade. Um sorriso breve.

Ele fechou o livro e se inclinou para a frente no púlpito.

— Crianças, o que quero transmitir a vocês hoje é o entendimento do valor dessa coisa tão simples que se chama gentileza. E isso é tudo o que desejo deixar para vocês hoje. Sei que sou infame por minha... hum... verborragia...

Todos riram de novo. Acho que ele sabia que era conhecido pelos longos discursos.

— ...mas o que quero que vocês, meus alunos, levem de sua experiência no ensino fundamental — prosseguiu — é a certeza de que, no futuro que vão construir para si, tudo é possível. Se cada pessoa nesse auditório tomar por regra que, onde quer que esteja, sempre que puder, será um pouco mais gentil que o necessário, o mundo realmente será um lugar melhor. E, se fizerem isso, se forem apenas um pouco mais gentis que o necessário, alguém, em algum lugar, algum dia, poderá reconhecer em vocês, em cada um de vocês, a face de Deus.

Ele fez uma pausa e encolheu os ombros.

— Ou seja qual for a representação politicamente correta de bondade em que acreditem — apressou-se em acrescentar com um sorriso, o que arrancou da plateia algumas risadas e muitos aplausos, sobretudo no fundo do auditório, onde os pais estavam sentados.

Prêmios

Gostei do discurso do Sr. Buzanfa, mas tenho que admitir: eu meio que viajei durante alguns dos outros.

Voltei a prestar atenção quando a Sra. Rubin começou a ler os nomes dos alunos que estavam na lista de honra, porque tínhamos que ficar de pé quando nosso nome fosse chamado. Então ouvi e esperei minha vez, enquanto ela lia a lista em ordem alfabética de sobrenome. Reid Kingsley. Maya Markowitz. August Pullman. Fiquei de pé. Então, quando ela terminou, pediu que nos virássemos e nos curvássemos, cumprimentando a plateia, e todos aplaudiram.

Eu não tinha a menor ideia de onde, no meio daquela multidão, meus pais estavam sentados. Tudo o que vi foram os flashes das câmeras fotográficas e pais acenando para os filhos. Embora não pudesse vê-la, imaginei a mamãe acenando para mim de algum lugar.

Então o Sr. Buzanfa voltou ao palco para entregar as medalhas de excelência acadêmica, e o Jack estava certo: Ximena Chin ganhou a medalha de ouro de "melhor desempenho acadêmico do quinto ano". A Charlotte ficou com a prata e também ganhou a medalha de ouro em música. O Amos ganhou a medalha pelo melhor desempenho nos esportes, o que me deixou muito feliz, porque, desde o retiro ecológico, eu o considerava um dos meus melhores amigos na escola. Mas fiquei muito, muito animado quando o Sr. Buzanfa chamou a Summer para receber a medalha de ouro em escrita criativa. Eu a vi tapar a boca com a mão quando seu nome foi chamado. "Uhuuuu, Summer!", gritei o mais alto que consegui ao vê-la subir no palco, mas acho que ela não me ouviu.

Depois que o último nome foi chamado, todos que haviam ganhado prêmios ficaram lado a lado no palco, e o Sr. Buzanfa disse para a plateia:

— Senhoras e senhores, tenho a honra de lhes apresentar os destaques deste ano da escola Beecher Prep. Parabéns a todos!

Aplaudi quando quem estava no palco se curvou, agradecendo. Eu estava muito feliz pela Summer.

— O último prêmio desta manhã — disse o Sr. Buzanfa, depois que todos voltaram aos lugares — é a medalha de honra Henry Ward Beecher, destinada a alunos que se destacaram ou foram exemplares em certas áreas durante o ano letivo. Tradicionalmente, esta medalha tem sido nosso modo de reconhecer o trabalho voluntário e a prestação de serviços à escola.

Deduzi de imediato que a Charlotte ganharia o prêmio, por ter organizado a campanha do agasalho, então meio que me desliguei de novo. Olhei para o relógio em meu pulso: 10h56. Eu já estava ficando com fome.

— ...esta escola foi batizada em homenagem a Henry Ward Beecher, o abolicionista do século XIX e fervoroso defensor dos direitos humanos — dizia o Sr. Buzanfa quando voltei a prestar atenção. — Enquanto pesquisava sobre sua vida, a fim de me preparar para esta premiação, encontrei algo que ele escreveu que me pareceu particularmente coerente com os assuntos que abordei mais cedo, assuntos sobre os quais venho refletindo durante todo o ano. Não restritos à natureza da gentileza, mas sobre a natureza da gentileza de *uma pessoa*. O poder da amizade de *uma pessoa*. A retidão de caráter de *uma pessoa*. A força da coragem de *uma pessoa*...

Naquele momento algo muito estranho aconteceu: a voz do Sr. Buzanfa falhou, como se ele estivesse engasgado. Ele chegou a limpar a garganta e tomou um grande gole de água. Comecei a prestar atenção, para entender o que ele estava falando.

— A força da coragem de uma pessoa — repetiu ele baixinho, assentindo e sorrindo. Ele ergueu a mão direita como se estivesse contando. — Coragem. Bondade. Amizade. Caráter. Essas são as qualidades que nos definem como seres humanos e acabam por nos conduzir à grandeza. E é disso que se trata a medalha Henry Ward Beecher: reconhecer a grandeza. Mas como fazemos isso? Como podemos mensurar algo como a grandeza? Mais uma vez, não há uma régua. Como nós a definimos? Bem, Beecher, de fato, tem uma resposta.

Ele pôs os óculos de novo, folheou um livro e começou a ler:

— "A grandeza", escreveu Beecher, "não está em ser forte, mas no uso correto da força... Grande é aquele cuja força conquista mais corações..."

Ele engasgou mais uma vez, de repente. Antes de continuar, levou dois dedos aos lábios por um segundo.

— "Grande é aquele cuja força conquista mais corações pela atração do próprio coração." Sem mais delongas, este ano tenho muito orgulho de conferir a medalha Henry Ward Beecher ao aluno cuja força discreta conquistou a maioria dos corações... August Pullman, por favor, venha receber seu prêmio.

Flutuando

As pessoas começaram a aplaudir antes mesmo que eu registrasse as palavras do Sr. Buzanfa. Ouvi a Maya, que estava do meu lado, dar um grinho de alegria ao escutar meu nome, e o Miles, do outro lado, deu um tapinha nas minhas costas. "Levanta, vai lá!", diziam as crianças à minha volta, e senti um monte de mãos me empurrando para que eu saísse da cadeira, me guiando até o fim da fileira, batendo nas minhas costas e na minha mão. "Mandou bem, Auggie! É isso aí, Auggie!" Ouvi até as pessoas gritando meu nome.

"Auggie! Auggie! Auggie!"

Olhei para trás e vi o Jack liderando o coro, com o punho erguido no ar, sorrindo e fazendo gestos para que eu seguisse em frente. Também vi o Amos gritando, com as mãos em concha na frente da boca: "Uhuuu, carinha!"

Então vi a Summer sorrindo quando passei por sua fileira e, quando me pegou olhando para ela, discretamente fez um sinal de positivo com a mão e, sem emitir nenhum som, só com o movimento dos lábios, disse: "*Maneiro.*"

Sorri e balancei a cabeça, como se não conseguisse acreditar. E não conseguia mesmo.

Acho que eu estava sorrindo. Talvez eu estivesse radiante, não sei. Enquanto caminhava pelo corredor em direção ao palco, tudo o que vi foi um borrão de rostos felizes olhando para mim, de mãos me aplaudindo. E ouvi pessoas gritando coisas como: "Você merece, Auggie!" "Que bom, Auggie!"

Vi todos os meus professores em seus assentos, o Sr. Browne, a Sra. Petosa, o Sr. Roche, a Sra. Atanabi, a enfermeira Molly e tantos outros: estavam vibrando por mim, gritando e assobiando.

Eu me senti flutuando. Foi tão estranho! Como se o sol estivesse brilhando com toda a força no meu rosto, o vento soprando. Quando me aproximei do palco, vi a Sra. Rubin acenando para mim na primeira fileira e, ao lado dela, a Sra. G. chorando histericamente — choro de felicidade —, sorrindo e batendo palmas sem parar. E, quando subi os degraus, a coisa mais incrível aconteceu: todos começaram a se levantar. Não apenas as primeiras fileiras, mas toda a plateia de repente ficou de pé, gritando e aplaudindo loucamente. Uma ovação. Para mim.

Cruzei o palco até o Sr. Buzanfa, que segurou minha mão entre as dele em um cumprimento e sussurrou no meu ouvido:

— Muito bem, Auggie.

Então ele pôs a medalha de ouro no meu pescoço, exatamente como fazem nas Olimpíadas, e me virou de frente para a plateia. Parecia que eu estava em um filme, era quase como se eu fosse outra pessoa. Feito a última cena de *Star Wars Episódio IV: Uma nova esperança*, quando Luke Skywalker, Han Solo e Chewbacca são aplaudidos por terem destruído a Estrela da Morte. Enquanto estava no palco, eu quase podia ouvir a música do filme tocando em minha cabeça.

Na verdade, eu nem tinha certeza do motivo de estar ganhando aquela medalha.

Não, isso não é verdade. Eu sabia, sim.

É como aquelas pessoas que às vezes você vê e não consegue imaginar como seria estar no lugar delas, seja alguém em uma cadeira de rodas, ou alguém que não pode falar. Eu sei que sou essa pessoa para os outros, talvez para todas as pessoas naquele auditório.

Para mim, porém, sou apenas eu. Um garoto comum.

Mas, se quiseram me dar uma medalha por ser eu mesmo, tudo bem. Aceito. Não destruí a Estrela da Morte nem nada parecido, mas consegui passar pelo quinto ano. E isso não é fácil, mesmo que você não seja eu.

Fotos

Em seguida houve uma recepção para os alunos do quinto e do sexto anos sob uma tenda enorme nos fundos da escola. Todos foram encontrar os pais e eu não me importei nem um pouco quando a mamãe e o papai me abraçaram como loucos, nem quando a Via passou os braços em volta de mim e me balançou de um lado para o outro umas vinte vezes. Então o vovô e a vovó me abraçaram, e depois a tia Kate, o tio Po e o tio Ben — todos emocionados e com o rosto molhado. Mas a Miranda foi a mais engraçada: ela estava chorando mais que todo mundo e me apertou tanto que a Via praticamente teve que me libertar dela, o que fez as duas rirem.

Todos começaram a sacar suas câmeras e me fotografar, então o papai juntou a Summer, o Jack e eu para que tirássemos uma foto em grupo. Pusemos os braços nos ombros uns dos outros e, pela primeira vez desde que consigo lembrar, eu não estava pensando no meu rosto. Apenas sorria — um sorriso largo e feliz — para as diferentes câmeras viradas para mim. *Flash, flash, click, click*: sorrindo quando os pais do Jack e a mãe da Summer começaram a fotografar. Então o Reid e a Maya se aproximaram. *Flash, flash, click, click*. Aí a Charlotte veio e perguntou se podia tirar uma foto conosco, e dissemos: "Claro, com certeza!" E então os pais dela começaram a clicar nosso pequeno grupo, com os pais de todo mundo.

Em seguida me dei conta de que os dois Max tinham se juntado a nós, e também o Miles e a Savanna. Depois vieram o Amos e a Ximena. E todos estávamos reunidos em um abraço grande e apertado enquanto os pais fotografavam, como se estivéssemos em um tapete vermelho. Luca. Isaiah. Nino. Pablo. Tristan. Ellie. Perdi a conta de quem mais se juntou ao grupo. Quase todo mundo. Tudo o que eu sabia, com certeza, era que todos ríamos e nos espremíamos uns nos outros, e parecia que ninguém se importava se meu rosto estava perto demais. Na verdade, sem querer me gabar, meio que parecia que todos queriam ficar perto de mim.

A caminho de casa

Depois da recepção, iríamos para a minha casa, para comer bolo e sorvete. O Jack, com os pais e o irmão mais novo, Jamie. A Summer e a mãe. O tio Po e a tia Kate. O tio Ben, o vovô e a vovó. O Justin, a Via e a Miranda. A mamãe e o papai.

Era um daqueles dias maravilhosos de junho em que o céu está completamente azul e o sol está brilhando, mas não tão quente a ponto de você querer estar na praia. O dia perfeito. Todos estavam felizes. Eu ainda me sentia flutuando, com a música de *Star Wars* na cabeça.

Eu caminhava com a Summer e o Jack e não conseguíamos parar de rir. Tudo nos fazia cair na gargalhada. Estávamos com aquele humor em que basta alguém nos olhar para começarmos a rir.

Ouvi a voz do papai à frente e olhei em sua direção. Ele estava contando a todos uma história engraçada enquanto descíamos a Amesfort Avenue. Todos os adultos também estavam rindo. É como a mamãe sempre dizia: meu pai poderia ser um comediante.

Percebi que a mamãe não estava com os adultos, então olhei para trás. Ela se mantinha um pouco afastada, sorrindo consigo mesma como se pensasse em algo bacana. Parecia feliz.

Voltei alguns passos e a surpreendi abraçando-a enquanto ela andava. Ela pôs os braços à minha volta e apertou de leve.

— Obrigado por me fazer ir para a escola — falei baixinho.

Ela me abraçou mais apertado, se inclinou e deu um beijo no alto da minha cabeça.

— Eu é que agradeço, Auggie — respondeu ela.

— Pelo quê?

— Por tudo o que nos deu. Por entrar nas nossas vidas. Por ser você.

Inclinou-se de novo e sussurrou em meu ouvido:

— Você é mesmo extraordinário, Auggie. Você é extraordinário.

Apêndice

Os preceitos do Sr. Browne:

SETEMBRO
Quando tiver que escolher entre estar certo e ser gentil, escolha ser gentil.
— Dr. Wayne W. Dyer

OUTUBRO
Seus feitos são seus monumentos.
— Inscrição em tumba egípcia

NOVEMBRO
Não tenha amigos que não estejam à sua altura.
— Confúcio

DEZEMBRO
Audentes fortuna iuvat. (A sorte favorece os bravos.)
— Virgílio

JANEIRO
Nenhum homem é uma ilha.
— John Donne

FEVEREIRO
É melhor saber algumas perguntas do que todas as respostas.
— James Thurber

MARÇO

Palavras gentis não custam muito, e ainda assim conquistam muito.
— Blaise Pascal

ABRIL

O que é belo é bom, e o que é bom em breve será belo.
— Safo

MAIO

Faça todo o bem que puder,
De todas as maneiras que puder,
De todas as formas que puder,
Em todos os lugares que puder,
Em todos os momentos que puder,
A todas as pessoas que puder,
Sempre que puder.
— Regra de John Wesley

JUNHO

Apenas siga o dia e busque o sol!
— The Polyphonic Spree, "Light and Day"

Preceitos dos cartões-postais:

DA CHARLOTTE CODY

Não basta ser amigável. Você tem que ser amigo.

DO REID KINGSLEY

Salvem os oceanos, salvem o mundo! — Eu!

DO TRISTAN FIEDLEHOLTZEN

Se você realmente quer algo na vida, tem que lutar por isso. Agora, silêncio, vão anunciar os números da loteria! — Homer Simpson

DA SAVANNA WITTENBERG
Flores são ótimas, mas amor é melhor. — Justin Bieber

DO HENRY JOPLIN
Não seja amigo de idiotas. — Henry Joplin

DA MAYA MARKOWITZ
Tudo de que você precisa é amor. — The Beatles

DO AMOS CONTI
Não se esforce muito para ser legal. Sempre dá para notar, e isso não é legal. — Amos Conti

DA XIMENA CHIN
A si mesmo seja verdadeiro. — *Hamlet*, Shakespeare

DO JULIAN ALBANS
Às vezes é bom recomeçar. — Julian Albans

DA SUMMER DAWSON
Se você consegue passar pelo ensino fundamental sem ferir os sentimentos de ninguém, isso é muito maneiro. — Summer Dawson

DO JACK WILL
Mantenha a calma e siga em frente! — Campanha da Segunda Guerra Mundial

DO AUGUST PULLMAN
Toda pessoa deveria ser aplaudida de pé pelo menos uma vez na vida, porque todos nós vencemos o mundo. — Auggie

Agradecimentos

Sou imensamente grata à minha maravilhosa agente, Alyssa Eisner Henkin, por ter gostado do manuscrito mesmo nos primeiros rascunhos e por ter sido uma grande incentivadora de Jill Aramor, R. J. Palacio ou qualquer que fosse o nome que eu decidisse usar. Obrigada a Joan Slattery, cujo entusiasmo me levou à Knopf. E, mais especialmente, obrigada a Erin Clarke, extraordinária editora, por ter tornado este livro o melhor possível e por ter cuidado tão bem do Auggie e de seus amigos: eu sabia que todos nós estávamos em boas mãos.

Obrigada ao maravilhoso time que trabalhou na edição original de *Extraordinário*. Iris Broudy, foi um privilégio tê-la como copidesque. Kate Gartner e Tad Carpenter, obrigada pela incrível capa. Muito antes de ser escritora, tive a sorte de trabalhar lado a lado com copidesques, revisores, designers, gerentes de produção, assistentes de marketing, publicitários e todos os homens e mulheres que ficam nos bastidores do nascimento de um livro — e sei que não se faz isso por dinheiro! É por amor. Obrigada aos representantes de venda, aos compradores e vendedores que estão nessa indústria impossível, porém linda.

Obrigada a meus incríveis filhos, Caleb e Joseph, por toda a alegria que me dão, por terem sido compreensivos todas as vezes que a mamãe precisava escrever e por escolherem "ser gentis". Vocês são meus extraordinários.

E, acima de tudo, obrigada a meu incrível marido, Russell, por suas dicas inspiradoras, seu instinto, seu compreensivo apoio — não só com este projeto, mas com todos ao longo dos anos —, e por ser meu primeiro leitor, meu primeiro amor, meu tudo. Como Maria disse: "Em algum momento da infância ou da juventude, devo ter feito algo de bom." De que outra maneira se pode explicar a vida que construímos juntos? Agradeço todos os dias.

Por fim, mas não menos importante, gostaria de agradecer à garotinha na porta da sorveteria e a todos os outros "Auggies", cujas histórias me inspiraram a escrever este livro.

—R. J.

Autorizações

Minha gratidão e meu reconhecimento às seguintes autorizações para utilização de materiais previamente publicados:

Gay and Loud Music: trecho de "The Luckiest Guy on the Lower East Side", de Stephin Merrit, interpretado por Magnetic Fields. Copyright © 1999 by Stephin Merritt. Lançado por Gay and Loud Music (ASCAP). Todos os direitos reservados. Utilizado com permissão da Gay and Loud Music.

Indian Love Bride Music: trecho de "Wonder", de Natalie Merchant. Copyright © 1995 by Natalie Merchant (ASCAP). Todos os direitos reservados. Utilizado com permissão da Indian Love Bride Music.

Sony/ATV Music Publishing LLC: trecho de "Beautiful", de Linda Perry e interpretado por Christina Aguilera. Copyright © 2002 by Sony/ATV Music Publishing LLC and Stuck in the Throat Music. Todos os direitos administrados pela Sony/ATV Music Publishing LLC, 8 Music Square West, Nashville, TN 37203. Todos os direitos reservados. Utilizado com permissão da Sony/ATV Music Publishing LLC e Stuck in the Throat Music.

Talpa Music: trecho de "Beautiful Things", de Josh Gabriel, Mavie Marcos e David Penner. Copyright © Lançado pela Talpa Music. Todos os direitos reservados. Utilizado com permissão da Talpa Music.

TRO-Essex Music International, Inc., Nova York.: trecho de "Space Oddity", letra e música de David Bowie. Copyright © 1969, copyright renovado em 1997 pela Onward Music Ltd, Londres, Inglaterra. Todos os direitos reservados. Direitos internacionais garantidos. Utilizado com permissão da TRO-Essex Music International, Inc., Nova York.

1ª edição	SETEMBRO DE 2013
reimpressão	ABRIL DE 2025
impressão	LIS GRÁFICA
papel de miolo	HYLTE 60 G/M^2
papel de capa	CARTÃO SUPREMO ALTA ALVURA 250 G/M^2
tipografia	GOUDY